Ce qu'il faut de nuit

Laurent Petitmangin

Ce qu'il faut de nuit

roman

la manufacture de livres

Si vous souhaitez recevoir notre catalogue
et être tenu informé de nos publications,
envoyez vos nom et adresse, en citant ce livre à :

La Manufacture de livres, 101 rue de Sèvres, 75006 Paris
ou
contact@lamanufacturedelivres.com

www.lamanufacturedelivres.com

ISBN 978-2-35887-679-7

Fus s'arrache sur le terrain. Il tacle. Il aime tacler. Il le fait bien, sans trop démonter l'adversaire. Suffisamment vicieux quand même pour lui mettre un petit coup. Parfois le gars se rebiffe, mais Fus est grand, et quand il joue il a un air mauvais. Il s'appelle Fus depuis ses trois ans. Fus pour *Fußball*. À la luxo. Personne ne l'appelle plus autrement. C'est Fus pour ses maîtres, ses copains, pour moi son père. Je le regarde jouer tous les dimanches. Qu'il pleuve, qu'il gèle. Penché sur la main courante, à l'écart des autres. Le terrain est bien éloigné de tout, cadré de peupliers, le parking en contrebas. La petite cahute qui sert aux apéros et à la remise du matériel a été repeinte l'année dernière. La pelouse est belle depuis plusieurs saisons sans qu'on sache pourquoi. Et l'air toujours frais, même en plein été. Pas de bruit, juste l'autoroute au loin, un fin ruissèlement qui nous tient au monde. Un bel endroit. Presque un terrain de riches. Il faut monter quinze kilomètres plus haut, au Luxembourg, pour trouver un terrain encore mieux entretenu. J'ai ma place. Loin des bancs, loin du petit groupe des fidèles. Loin aussi des supporters de l'équipe visiteuse. Vue directe sur la seule publicité du terrain, le kebab qui fait tout, pizza, tacos, l'américain, steak-frites dans une demi-baguette, ou le Stein, saucisse blanche-frites, toujours dans une demi-baguette. Certains, comme le Mohammed, viennent me serrer la main, « inch'Allah on leur met la misère, il est en forme le Fus aujourd'hui ? » et puis repartent. Je ne m'énerve jamais, je ne gueule jamais comme les autres, j'attends juste que le match se termine.

C'est mon dimanche matin. À sept heures, je me lève, je fais le café pour Fus, je l'appelle, il se réveille aussi sec sans jamais râler, même quand il s'est couché tard la veille. Je n'aimerais pas devoir insister, devoir le secouer, mais cela n'est jamais arrivé. Je dis à travers la porte : « Fus, lève-toi, c'est l'heure », et il est dans la cuisine quelques minutes après. On ne parle pas. Si on parle, c'est du match de Metz la veille. On habite le 54, mais on soutient Metz dans la région, pas Nancy. C'est comme ça. On fait attention à notre voiture quand on la gare près du stade. Il y a des cons partout, des abrutis qui s'excitent dès qu'ils voient un « 54 » et qui sont capables de te labourer la voiture. Quand il y a eu match la veille, je lui lis les notes du journaliste. On a nos joueurs préférés, ceux qu'il ne faut pas toucher. Qui finiront par partir. Le club ne sait pas les retenir. On se les fait sucer dès qu'ils brillent un peu. Il nous reste les autres, les besogneux, ceux dont on se dit vingt fois par match, vivement qu'ils dégagent, j'en peux plus de leurs conneries. À tout compter, tant qu'ils mouillent le maillot, même avec des pieds carrés, ils peuvent bien rester. On sait ce qu'on vaut et on sait s'en contenter.

Quand je regarde Fus jouer, je me dis qu'il n'y a pas d'autre vie, pas de vie sur cette vie. Il y a ce moment avec les cris des gens, le bruit des crampons qui se collent et se décollent de l'herbe, le coéquipier qui râle, qu'on ne trouve pas assez tôt, pas assez en profondeur, cette rage gueulée à fond de gorge quand ils marquent ou prennent le premier but. Un moment où il n'y a rien à faire pour moi, un des seuls instants qui me restent avec Fus. Un moment que je ne céderais pour rien au monde, que j'attends au loin dans la semaine. Un moment qui ne m'apporte rien d'autre que d'être là, qui ne résout rien, rien du tout. Le match terminé, Fus ne rentre pas tout de suite. Je ne l'attends pas, il arrive qu'on a déjà presque fini de dîner avec son frère. « Gros, tu me laveras les maillots ? – Vas-y, et pourquoi je le ferais ? – T'es mon petit frère, t'inquiète, je te revaudrai ça. » Il prend son assiette, se sert et va s'installer devant les programmes de l'après-midi.

À cinq heures, quand j'ai le courage, je vais à la section. Il y a de moins en moins de monde depuis qu'on n'y sert plus l'apéro. Ça devenait n'importe quoi, les gars ne travaillaient plus et attendaient juste qu'on sorte les bouteilles. On est quatre, cinq, rarement plus. Pas toujours les mêmes. Plus besoin de déplier les tables comme on le faisait vingt ans avant. La plupart ne travaillent pas le lundi. Des retraités, la Lucienne qui vient comme elle venait du temps de son mari, avec un gâteau qu'elle découpe gentiment. Personne ne parle, tant qu'elle n'a pas coupé huit belles parts, bien égales. Un ou deux gars au chômage depuis l'Antiquité. Les sujets sont toujours les mêmes, l'école du village qui ne va pas durer en perdant une classe tous les trois ans, les commerces qui se barrent les uns après les autres, les élections. Ça fait des années qu'on n'en a pas gagné une. Aucun de chez nous n'a voté Macron. Pas plus pour l'autre. Ce dimanche-là, on est tous restés chez nous. Un peu soulagés quand même qu'elle ne soit pas passée. Et encore, je me demande si certains, au fond d'eux-mêmes, n'auraient pas préféré que ça pète un bon coup.

On tracte ce qu'il faut. Je ne crois pas que cela serve à grand-chose, mais il y a un jeune qui a le sens de la formule. Qui sait dire en une page la merde qui noie nos mines et nos vies. Jérémy. Pas le Jérémy. Jérémy tout court, car il n'est pas du coin et nous reprend à chaque fois avec notre manie de mettre des « le » ou des « la » partout. Ses parents sont arrivés il y a quinze ans, quand l'usine de carters a monté sa nouvelle ligne de production. Quarante embauches d'un coup. Inespéré. Si on l'a pas inaugurée vingt fois cette ligne, on l'a pas inaugurée. Toute la région, le préfet, le député, toutes les classes d'école sont venus lui faire des zigouigouis. Jusqu'au curé qui est passé plusieurs fois la bénir en douce. La journaliste du *Répu* n'en finissait pas de faire la route pour les raconter tous devant cette chaîne, symbole qu'on pouvait y croire. « La Lorraine est industrielle et elle le restera. » Une belle blonde qui faisait son métier proprement avec les mots d'espoir qui vont bien. C'est elle qui prenait aussi les photos, alors elle variait les poses, histoire que la page Villerupt – Audun-le-Tiche n'ait pas chaque jour la même gueule. Elle a mis du temps cette chaîne à se lancer, peut-être trop de temps. Le jour où on avait enfin formé les contremaîtres et les opérateurs, le jour où on avait enfin trouvé le moyen de traiter à peu près correctement le foutu solvant, rien du tout, quelques centilitres par jour qui s'échappaient et qui bloquaient l'accréditation, on était à nouveau en pleine crise, celle des banques, celle qui allait achever la ligne et ses résidus en deux coups les gros. L'usine aurait pu cracher des matières radio-actives, je ne pense pas mentir en disant que le village n'en avait rien à faire, qu'on aurait préféré boire une eau de chiottes plutôt que de retarder encore le lancement de cette ligne. Il n'y avait pas eu de débat à la section, on n'était pas encore très écolos à l'époque. On ne l'est toujours pas d'ailleurs. Jérémy faisait partie de la classe printemps, comme on l'avait appelée alors. Une vingtaine de gamins qui étaient arrivés en mars-avril avec les parents tout juste embauchés et qui avaient réamorcé une classe supplémentaire de cours élémentaire et une de cours moyen dès la rentrée suivante.

Il a vingt-trois ans, Jérémy, un an de moins que Fus. Au début, les deux-là ont été potes. Fus l'aimait bien. Il nous l'a ramené à la maison plusieurs fois. Et pourtant il ne ramenait pas beaucoup de monde chez nous. Je pense qu'il avait un peu honte. De sa mère qui pouvait à peine quitter le lit. De moi peut-être. Quand Jérémy venait, c'était une belle journée pour ma femme. Si elle en avait la force, elle se levait et leur faisait des gaufres ou des beignets. Elle râlait un peu auprès de Fus en disant qu'il aurait dû prévenir, qu'elle aurait fait la pâte plus tôt, la veille, que ç'aurait été bien meilleur, mais elle finissait par les faire ses beignets, croustillants, glacés de sucre. Il y en avait le soir pour le souper et encore un saladier plein pour le lendemain. Jérémy et Fus se sont vus jusqu'au collège. Et puis Fus a commencé à moins bien travailler. À piocher. À ne pas aller en cours. Il avait des excuses toutes trouvées. L'hôpital. Sa mère. La maladie de sa mère. Les rares embellies dont il fallait profiter. Les derniers jours de sa mère. Le deuil de sa mère. Trois ans de merde, sixième-cinquième-quatrième, où il m'a vu totalement impuissant. N'arrivant plus à y croire. Ayant perdu toute foi dans une rémission qui ne viendrait plus. Même pas capable d'arrêter de fumer. Plus capable de m'asseoir à côté de lui, quand il était en larmes sur son lit, plus capable de lui mentir, de lui dire que cela allait bien se passer pour la moman, qu'elle allait revenir. Juste capable de leur faire à manger, à lui et à son frère. Juste capable de me reprocher d'avoir eu ces enfants bien trop tard. On avait déjà trente-quatre ans tous les deux quand notre Gillou est né.

En troisième, Fus n'y arrivait plus. Il a largué les derniers copains du bon temps. Le temps où les maîtres des petites classes l'aimaient bien. Ceux au collège ont eu beaucoup moins

de patience. Ils ont fait comme si de rien
n'était. Comme si le gamin ne passait pas ses
dimanches à Bon-Secours. Au début, il prenait
ses devoirs à l'hôpital, puis il a fait comme
moi, il s'est juste assis près du lit, il a regardé
le lit, sa mère dans le lit, mais surtout le lit, les
draps, comment ils étaient agencés. Les petits
défauts dans la trame à force de les faire bouillir
et de les passer à la Javel. Pendant des heures.
C'était dur de regarder la moman, elle était
devenue laide. Quarante-quatre ans. On lui
en aurait donné vingt, trente de plus. Parfois
les infirmières la maquillaient un peu, mais
elles ne pouvaient pas cacher le jaune ocre
qui prenait semaine après semaine son visage
mal endormi, et surtout ses bras qui sortaient
du drap, déjà en fin de vie. Comme moi, il a
dû parfois souhaiter de ne pas y aller à Bon-
Secours, qu'il y ait un dimanche normal, ou au
contraire quelque chose de bien exceptionnel
qui nous aurait empêchés de faire la route, mais
ça n'arrivait jamais, on n'avait rien de mieux,
rien de plus urgent à faire, alors on allait voir

la moman à l'hôpital. Il n'y a que notre Gillou qu'on s'arrangeait de laisser parfois aux voisins pour l'après-midi. Sur le coup des huit heures, après le service du souper, on sortait soulagés d'y être allés. Parfois, l'été, contents d'avoir ouvert la fenêtre. D'avoir profité d'une de ces heures où elle était bien consciente et d'avoir écouté avec elle les bruits de la cour. On lui mentait, on lui disait qu'elle avait meilleure mine et que le professeur, croisé dans le couloir, avait l'air content.

J'aurais quand même dû le pousser. Je l'ai regardé dégringoler petit à petit. Ses carnets étaient moins bons, mais qu'est-ce que ça pouvait faire ? Mon peu d'énergie, je l'ai gardé pour continuer à travailler, continuer à faire bonne figure devant les collègues et le chef, garder ce foutu poste. Faire gaffe, crevé comme je l'étais, un peu schlasse parfois, de ne pas faire une connerie. Faire gaffe aux courts-jus. Faire gaffe aux chutes. C'est haut une caténaire. Revenir entier. Car il fallait bien nourrir mes deux zèbres, tenir bon sans boire jusqu'à ce qu'ils se couchent. Et puis me laisser aller. Pas toujours. Souvent quand même. Voilà comment ont filé ces trois ans. Bon-Secours, le dépôt SNCF de Longwy, parfois celui de Montigny, la ligne Aubange – Mont-Saint-Martin, le triage de Woippy, le pavillon, la section et de nouveau Bon-Secours. Et puis les découchés à Sarreguemines et à Forbach, m'organiser avec les voisins pour qu'ils gardent un œil sur le Gillou et Fus. Fus qui devait faire à manger, les boîtes préparées, juste à les réchauffer : « Tu fais attention, tu n'oublies pas le gaz, va pas nous mettre le feu à la maison. Vous couchez pas trop tard, si tu as besoin tu vas voir chez le Jacky, ils savent que vous êtes seuls ce soir. » Fus grand dès ses treize ans. Charge d'homme. Un bon gars, la maison était toujours nickel quand je rentrais le lendemain. Pas une fois, il n'eut à aller voir le Jacky. Même quand la grêle avait explosé la verrière de la cuisine, des cailloux gros comme le poing. Même quand Gillou n'arrivait pas à dormir, qu'il avait peur, qu'il voulait sa mère. Fus s'en était toujours débrouillé. Il faisait ce qu'il fallait. Il parlait à Gillou, le réveillait le lendemain, lui préparait son déjeuner. Et trouvait encore le temps de nettoyer derrière lui. Dans d'autres circonstances, ç'aurait été l'enfant modèle, vingt fois, cent fois, mille fois récompensé. Là, avec ce qui se passait, ça ne m'était jamais venu à l'idée de lui dire merci. Juste un « ça s'est bien passé, pas de bêtises ? On ira à Bon-Secours dimanche ». La moman, elle, savait s'en occuper, de Fus et de Gillou. Elle allait à toutes les réunions de l'école, insistait pour que je pose un jour de congé et que je vienne aussi. Nous étions toujours les premiers, au premier rang, coincés derrière les petits pupitres des enfants. Attentifs aux conseils de la maîtresse. La moman prenait des notes qu'elle relisait aux enfants le soir. Elle avait inscrit Fus au latin, parce que c'étaient les meilleurs qui faisaient latin, ça servait à bien comprendre la grammaire, c'était de l'organisation, comme les mathématiques. Latin et allemand. Ils auraient le temps de faire de l'anglais en quatrième. Elle avait de l'ambition pour les deux. « Vous serez ingénieurs à la SNCF. C'est des bonnes places. Médecins aussi, mais surtout ingénieurs à la SNCF. » Quand on avait découvert la maladie, elle m'en avait reparlé de l'avenir des enfants, mais c'était au début. Je n'y croyais pas à ce cancer, elle non plus, je crois. Je l'avais laissée dire sans prêter attention, puis elle s'était effondrée assez rapidement dans la souffrance et elle n'était plus revenue dessus. Les dernières semaines, quand elle savait que c'était fini, elle n'avait pas fait le tour de sa vie et s'était abstenue de tout conseil. Elle s'était contentée de nous regarder, le peu de temps où elle était consciente. Juste nous observer, sans même nous sourire. Elle ne m'avait rien fait promettre. Elle nous avait laissés. Elle s'était démenée pendant trois ans avec son cancer. Sans jamais dire qu'elle allait s'en sortir. La moman n'était pas bravache. Une fois, je lui avais dit : « Tu vas le faire pour les enfants. – Je vais déjà le faire pour moi », qu'elle m'avait répondu. Mais je crois qu'elle énervait les médecins, pas assez motivée, pas assez de gueule en tout cas. Ils attendaient qu'elle se rebiffe, qu'elle dise comme les autres, qu'elle allait lui pourrir la vie à ce cancer, le rentrer dans l'œuf. Mais elle ne le disait pas. Un truc de film, un truc pour les autres. Comme les dernières recommandations. Trop pour elle. C'était pas la vraie vie, pas comme ça que sa vie était faite en tout cas. Alors, personne à son enterrement ne m'avait parlé de son courage.

Pourtant trois ans d'hôpital, de chimio, trois ans de rayons. Les gens m'avaient parlé de moi, des enfants, de ce qu'on allait faire maintenant, presque pas d'elle. On aurait dit qu'ils lui en voulaient un peu de sa résignation, d'avoir donné une si piètre image. Le professeur avait juste haussé les épaules quand je lui avais demandé comment s'étaient passées les dernières heures. « Comme les jours d'avant, pas plus pas moins. Vous savez, monsieur, votre femme ne s'est jamais réellement révoltée contre sa maladie. Ce n'est pas donné à tout le monde. Je ne vous dis pas d'ailleurs que cela aurait changé quelque chose, nul ne peut savoir à vrai dire. » Voilà l'oraison. Même le curé avait eu du mal. Il ne nous connaissait pas trop. On n'allait pas à la messe, mais la moman voulait un petit quelque chose, enfin j'avais imaginé, on n'en avait guère parlé. Je m'étais dit que ça marquerait le coup de passer à l'église. Pas envie qu'elle parte comme ça, si vite. Pour les enfants aussi, c'était mieux, plus correct. Au sortir du cimetière, un jeune, le fils d'un des gars de la section, m'avait abordé. Il s'était excusé d'être arrivé en retard, mais ça roulait mal depuis la sortie de la nationale. Il m'avait proposé une cigarette. Gillou était déjà rentré avec le Jacky. Fus ne m'avait pas lâché de toute la cérémonie, plein de tristesse, pénétré par cette journée. Voyant que nos cigarettes s'enchaînaient, il avait fini par s'asseoir sur le banc de pierre en haut du cimetière. Il regardait les terrassiers s'activer sur la tombe de la moman, pour terminer avant la nuit. Moi, j'étais avec le jeune, au bout du terrain, là où il y avait encore de la place pour trois pleines travées, un coin bien vert, en surplomb de la vallée, un bel endroit, dommage qu'il soit si près de toute cette mort. Nous discutions de tout et de rien. Je savais que les autres m'attendaient au bistrot pour le café et les brioches que j'avais commandés la veille. Mais j'avais plaisir à fumer avec ce jeune gars comme si de rien n'était. Soulagé que cette journée soit finie, content qu'il ne se soit rien passé. De quoi avais-je eu peur ? Qu'est-ce qui pouvait bien arriver le jour d'un enterrement ? Soulagé quand même. Parcouru de pensées vides, de questions aussi inutiles qu'indispensables qui allaient rythmer désormais ma vie. Qu'est-ce que j'allais leur faire à manger ce soir ? Qu'est-ce qu'on ferait dimanche ? Où étaient rangées les affaires d'hiver ?

Des semaines durant, nous avions été invités chez le Jacky et chez les autres. Jamais pendant les trois ans de la maladie, ni même avant, nous n'avions autant été reçus. C'était gentil, mais cela me faisait de la peine pour la moman. Elle n'avait pas profité de tout ça, de ces apéros qui s'éternisaient et qui se continuaient gentiment par un bon repas. On s'assommait assez vite pour ne pas avoir à parler ou alors pour que le flot des paroles vienne facilement. Surtout casser le moment pénible qui reviendrait forcément sur le tapis. Se sentir obligés de parler de la moman, à voix plus basse, regarder

si les enfants continuaient de jouer et n'écou-
taient pas. Dire ce qu'on avait déjà dit, se rincer
de nouveau. Un blanc en attendant que l'alcool
fasse son effet, redire des choses plus joyeuses,
une connerie prise à la télé, une bien bonne
qu'on avait entendue la veille, terminer sur une
note gaie puisqu'il était temps de se sauver.
Après, il y avait eu les vacances d'été où tout
le monde était parti un peu. J'avais inscrit Fus
et Gillou à un stage de foot au Luxembourg. On
campait à Grevenmacher, près de la Moselle.
Je les emmenais le matin, regardais la première
heure d'entraînement, puis j'allais me perdre
dans les forêts du coin. Quand j'étais courageux,
je sortais à vélo, mais depuis la maladie de la
moman, j'avais une appréhension, va pas te faire
renverser, ils seraient beaux les enfants avec
personne pour s'occuper d'eux. Le camping
était coquet, plein d'Allemands qui faisaient
la route des vins. C'était bonjour bonsoir avec
eux, on profitait de notre société tous les trois.
Les enfants me racontaient leur journée de foot,
comment ils s'en étaient tirés, les cadors d'un

côté, les victimes de l'autre, eux bien au milieu.
Il y avait des clans dans ce regroupement. Les
Luxos, les Français de Metz, ceux de Thionville
et de la région. Ça frictionnait dur, et les plus
petits, comme Gillou, en faisaient les frais.
Ça chicorait parfois, et Fus faisait le coup de
poing quand on s'en prenait à son petit frère.
Ils s'étaient toujours bien aimés, mais depuis la
mort de la moman c'était encore autre chose.
Nous prenions notre temps. Ils étaient tous les
deux bien fatigués de leur journée, mais on
restait ensemble, longtemps, à siroter, à nous
sourire, à regarder parfois les autres tablées
du camping. On faisait des listes ensemble,
nos plats préférés, les dix meilleurs joueurs du
FC Metz de tous les temps. Nos plus grandes
peurs, nos plus grands fous rires. La moman
revenait alors forcément dans la conversation.
Quand elle avait glissé avec les spaghettis.
On s'en souvenait tous les trois de ce jour de
l'Eurovision. On avait décidé de manger devant
la télé et elle s'était dépêchée pour ne pas rater
le début de la retransmission, quel vol plané elle

avait fait, et la marmite de spaghettis bolognaise qui avait valdingué avec elle. On avait passé une bonne demi-heure à nettoyer tous les quatre. Gillou nous avait demandé si elle pouvait être fâchée qu'on se moque d'elle. On l'avait rassuré. Elle devait être contente de nous voir profiter de la soirée. Alors mes lascars s'en étaient donné à cœur joie à décortiquer l'histoire, tous les détails, comment elle avait glissé. Ils s'étaient levés, avaient mimé le geste, le pied qui était parti très haut dans le ciel. Ce qu'elle avait dit en tombant, les pâtes, jusqu'où on avait pu en retrouver. Ils étaient beaux mes deux fils, assis à cette table de camping, Fus déjà grand et sec, Gillou encore rond, une bonne bouille qui prenait son temps pour grandir. Ils étaient assis dos à la Moselle, et j'avais sous mes yeux la plus belle vue du monde. Mon regard allait des coteaux presque dans l'obscurité à leurs visages bien éveillés, francs, éclairés par notre lampe-tempête. J'étais content ce soir-là et tous ceux qui avaient suivi. Je profitais de cette période. Il y avait déjà trois mois que la moman était partie, j'avais évacué la peur de ne pas y arriver, de ne pas faire face à tout ce qu'il y avait à organiser, à gérer. Tout ce que j'avais déjà entrevu depuis trois ans. C'était terrible à dire, mais c'était presque plus facile maintenant qu'il n'y avait plus l'hôpital, les soirées et les dimanches passés à attendre. Presque plus facile. Si elle m'avait entendu. C'était pourtant vrai, et les vacances n'avaient jamais autant mérité leur nom. Plusieurs fois, je les avais emmenés casser la croûte à Luxembourg-ville. On s'était fait la promenade des remparts, puis on était allés dans un petit restaurant où on attendait des heures, il y avait du monde, les enfants s'étaient impatientés tellement ils avaient faim, mais les énormes steaks et les grosses frites, presque un quart de patate chacune, n'en étaient que meilleurs. Quinze jours de vrai bonheur. Juste le remords de ne pas l'avoir fait plus tôt, quand la moman était encore là, mais c'est vrai qu'elle n'aimait pas trop le camping, elle préférait le Sud, « mais surtout pas ton centre SNCF, hein ? », alors on n'y allait qu'une année sur deux, c'était un budget et il y avait la cuisine, puis la terrasse à terminer. On avait cessé de partir dès le début de sa maladie, il y avait plus de trois ans donc. Je m'étais vidé la tête, je n'avais pour seule contrainte que de les emmener le matin à leur entraînement et les récupérer sur le coup des quatre heures, le reste c'était temps libre. J'avais été surpris quand j'avais vu débarquer un collègue du dépôt quelques jours avant la fin des vacances. Ils savaient que j'étais là, ils avaient besoin de monde pour une ligne qui menaçait de se coucher sans qu'on comprenne pourquoi. « C'est bien payé, tout en heures sup, le chef te revaudra ça. – J'ai les enfants, demain c'est la fin du stage, on va leur remettre un petit diplôme, ils font aussi un tournoi, je ne peux pas leur faire ça. » Fus avait été plus sage que moi : « T'inquiète, c'est bidon leur remise de prix, et puis je crois que Gillou en a assez des Luxos, tu sais, ils ne sont pas très sympas avec lui, si on part ce soir c'est presque aussi bien. » Alors on avait replié nos deux tentes sous un déluge. On n'y voyait rien, nous merdions à ranger proprement le matériel, et nous avions fini par mettre Gillou à l'abri dans la voiture pendant qu'avec Fus on essayait de sauver ce qu'on pouvait sauver. Sur le chemin du retour, à cinquante à l'heure, au milieu des geysers creusés par la voiture, j'avais profité de mes dernières minutes de vacances et je m'étais promis de refaire cela chaque année. Mais l'année d'après, nous n'étions pas repartis. Pas par manque d'envie. La faute à Gillou qui s'était cassé la jambe quelques semaines plus tôt. Je ne m'étais pas vu lui imposer du camping. On s'était fait des vacances devant la télé. C'était l'année des Jeux olympiques. Nous avions passé nos nuits et nos matinées devant les retransmissions. Fus imitait Patrick Chêne, Gillou Nelson Monfort. Ce fut un bel été où on dormait en fin d'après-midi, vers cinq heures du soir, après les dernières finales, jusqu'à minuit, une heure du matin, pour récupérer. On faisait une indigestion d'images, mais nous nous retrouvions tous les trois dans la nuit, fidèles au poste, impatients de voir si le fichu compteur de médailles des Français allait enfin bouger. On se passionnait pour tout, pourvu qu'il y ait une breloque à gagner.

Puis est arrivé le moment où Fus avait voulu partir avec ses copains, d'abord Montpellier, et l'année d'après l'Espagne. Je ne les aimais pas trop ses copains, je ne les connaissais pas vraiment, ils ne passaient jamais à la maison, mais pour ce que j'en voyais, ils ne me plaisaient pas. Ils n'étaient pas du coin, ils venaient au village à moto, des petites cylindrées qui devaient coûter les yeux de la tête, je ne savais pas où ils trouvaient cet argent. Leur tenue non plus ne me plaisait pas. Je n'avais jamais trop aimé les treillis. Ni les cheveux coupés à la para. Mais je n'avais pas osé le dire à Fus, et quand ils étaient partis en Espagne je m'étais débrouillé pour lui donner une bonne somme d'argent, pas qu'il ait honte et qu'il doive vivre sur leur dos. Après les vacances, à son entrée en terminale, Fus s'était mis à les voir tous les jours. Pas de fille aux abords. Ses résultats scolaires s'étaient presque améliorés. Il était depuis la première dans une section technique, et les notes qu'il me montrait n'étaient pas vilaines. Presque à regretter qu'il n'ait pas continué dans les grandes classes. Ce qui m'inquiétait, c'est qu'il nous parlait de moins en moins. Il n'y avait que le samedi matin, quand on allait faire les courses, qu'on se disait encore quelques mots. Le dimanche, c'était foot et télé, la semaine il filait dans sa chambre dès qu'il le pouvait. Même avec son frère, alors qu'ils s'adoraient, ils passaient moins de temps ensemble. J'entendais plus rarement les : « Gros, on fait une partie de Magic ? Gros, tu viens taper des coups francs ? » Gillou ne semblait pas s'en préoccuper, il continuait à pousser en mode nounours, et quand je lui demandais s'il n'avait rien remarqué chez son frère il me répondait : « Non, il est toujours aussi marrant. » Justement, je le trouvais moins drôle, mon Fus. Il n'était plus pareil. Même pendant la fin de la moman, il était plus lumineux que ça. Je l'observais, il était sombre dans tous ses gestes, et le dimanche, au foot, il devenait dur, vicieux dans ses interventions. Souvent il rentrait quand nous étions déjà à table avec Gillou et avait l'air totalement absent. « Tu rentres du lycée à cette heure ? – Non, j'étais avec les potes. Gros, tu peux me passer le plat s'il te plaît ? » Gillou ne se contentait pas de lui passer le plat. Il se levait et allait servir son frère. Il lui dressait une belle assiette avec tout ce qu'il faut dedans comme l'aurait fait un garçon au restaurant, puis allait la chauffer au micro-ondes. Il avait toujours fait cela, Gillou. Ça ne semblait pas lui poser le moindre problème de servir son frère, au contraire. Depuis toujours, j'ai le souvenir de Gillou rayonnant dès qu'il voyait rentrer son grand frère. Un miracle quotidien. Fus à peine débarrassé de sa veste, Gillou lui racontait toute sa journée dans le détail. Il l'avait fait jusqu'à ses quatorze ans. Depuis, il était moins volubile, mais le plaisir de voir le frangin restait le même. Fus avait toujours été plus distant, mais faisait l'effort de lui dire deux trois mots en retour. Bien sûr, les deux s'étaient chicorés, et pas qu'une fois, mais ils formaient une sacrée belle paire. La vie ne m'avait pas fait trop de cadeaux, mais j'avais deux gaillards qui s'aimaient bien. Quoi qu'il arrive, l'un serait toujours là pour l'autre.

Après son bac, Fus était entré à l'IUT. Je ne savais pas si la moman aurait été contente. C'était bien l'IUT, tout le monde me le disait, mais est-ce que ça faisait des ingénieurs? Pas sûr. Il lui faudrait encore cravacher. J'ai honte de le dire, mais quand il avait été refusé à Metz ç'avait été un vrai soulagement. Je n'étais pas prêt à le voir déjà partir. Il était bien avec nous. Même s'il ne nous parlait plus beaucoup, j'avais besoin de lui. Le face-à-face avec Gillou m'avait toujours fait peur, je ne me sentais pas à la hauteur. Tant pis si l'IUT du coin était moins huppé.

Ce soir-là, il n'était pas rentré si tard de l'IUT. Il était là pour le repas. Il avait mis la table et fait réchauffer des galettes de maïs. C'était leur nouvelle habitude avec son frère. Ils ne mangeaient plus de pain, mais des galettes de maïs, qu'ils achetaient par paquets de vingt et qu'ils passaient au micro-ondes pour bien les ramollir. « C'est quoi, Fus, ton écharpe ? lui avait demandé Gillou. – Gros, c'est pas une écharpe, c'est un bandana. » Je l'avais regardé à mon tour ce bandana, et j'étais consterné. « Fus, c'est quoi cette croix ? – Pa, j'en sais rien, c'est juste un bandana prêté par un pote. – Fus, si tu ne le sais pas, je vais te le dire, c'est une croix celtique ! Une croix celtique ! Bon Dieu, Fus, tu portes des trucs de facho maintenant ? – Pa, calme-toi, c'est un bandana d'ultra, pas de facho. Ça vient de la Lazio, de leur virage nord. C'est leur truc de reconnaissance. C'est Bastien qui les collectionne. » Gillou avait regardé notre échange sans rien dire. Est-ce qu'il pensait comme moi ? Est-ce que lui aussi s'était dit que son frère mamaillait avec de drôles de gars ? Fus avait fini par ranger le foulard dans sa poche. On avait continué le repas, tranquilles. « Demain après le boulot, je vais à la section, ne m'attendez pas pour manger. » Ils m'avaient dit : « T'inquiète, pas de souci. » Ça faisait longtemps qu'ils ne m'y avaient pas accompagné. Quand ils étaient plus petits, avant que la moman ne tombe malade, on allait tracter ensemble. On partait à vélo, « un bulletin dans chaque boîte à lettres, s'il y a plusieurs noms vous en mettez autant que de noms, si la boîte est déjà bourrée de papiers vous ne mettez rien, pas la peine que ça tombe par terre et qu'on dise qu'au Parti socialiste, ce sont des dégueulasses. » Alors les deux prenaient un côté de la route pendant que je m'occupais de l'autre, ils se relayaient, faisaient chacun à leur tour une boîte et appuyaient sur les manivelles pour avoir fini la rue avant moi. Je les entendais rire ou râler quand le tract ne rentrait pas bien dans la fente. Quand la moman a commencé à être alitée et que j'étais crevé des navettes entre les différents docteurs, ils la faisaient même tout seuls comme des grands, la distribution.

J'avais ressenti le besoin de retourner à la section comme d'autres celui de retrouver l'église. Même s'il ne s'y passait plus grand-chose, je me disais que je ferais partie des derniers. Ce qui me désolait, c'est que nous nous isolions de plus en plus. Elle était loin l'union de la gauche. Parfois j'avais l'impression que certains d'entre nous se dépensaient plus à casser les cocos qu'à taper sur les nantis. Où étaient nos combats ? On radotait autour du gâteau de la Lucienne. J'avais organisé un apéro avec les communistes de Villerupt. Ils étaient venus à une douzaine, nous, on était sept huit, et encore il avait fallu que je sorte la voiture et aille chercher les vieux qui ne venaient plus sinon. On avait bu un coup, on s'était dit que ça ne pouvait pas durer, qu'il fallait faire un effort pour attirer les jeunes, tout le monde à ce moment-là s'était retourné vers Jérémy qui était le seul jeune dans le local, on avait chanté *L'Internationale*, on avait été jusqu'au quatrième couplet, le peuple qui ne veut que son dû. Est-ce que ça avait servi à quelque chose ? Je ne pense pas. J'avais entendu des trucs affligeants que je n'avais pas voulu relever. Cela avait commencé avec trop de magasins de kebabs à Villerupt, à se demander où on habitait. Qu'est-ce que ça pouvait bien leur faire ? Ils ne prenaient la place de personne, juste de merceries ou de marchands de tricots chez qui ils n'avaient jamais mis les pieds. Est-ce qu'ils préféraient des vitrines pétées, blanchies à la peinture ? Ces kebabs, c'était signe qu'il y avait encore des gars qui mangeaient dans le coin. Ça attire une drôle de faune, qu'il avait dit l'autre, et puis ils sont moches, pas un pour racheter l'autre, des posters de mosquée, des tables crasseuses sous des néons de merde. Ouais, peut-être. Des gens du coin. Des gens comme toi et moi. Qui se paieraient bien quelque chose d'autre, mais qui n'ont pas trop le choix. Je l'avais pensé, mais je ne lui avais pas dit. J'avais laissé Jérémy se dépatouiller avec le gars, lui montrer gentiment qu'il ne racontait que de la merde et qu'on avait peut-être mieux à faire que de se mettre au cul de Le Pen. « Tu veux des jeunes ? qu'il lui avait demandé Jérémy. Il y en a plein les kebabs ! Leurs gueules ne te reviennent peut-être pas, mais crois-moi, c'est avec eux qu'on avancera. Arabes ou pas. » Jérémy, déjà tout jeune, m'avait toujours fait plaisir. Il savait nous secouer. Il ne nous prenait pas pour des cons, mais nous mettait une giclette dès qu'on s'enfermait dans des salmigondis pourris. Il a un don, Jérémy. Je l'avais invité à prendre un verre après que les autres avaient été partis. Pas à la maison. Pas trop envie que les enfants nous voient ensemble. On s'était retrouvés au Montana, dans l'arrière-salle. On avait reparlé de l'histoire des kebabs, des remarques moisies de nos gars, de comment on avait pu en arriver là. J'avais envie d'être intelligent. Lui aussi semblait chercher ses mots. On ne voulait pas se décevoir. Il me parla de ses parents qui tournaient vieux cons. Son père, dans la dernière charrette. Ils s'étaient posé la question de retourner dans leur coin d'origine, mais cela leur avait paru insurmontable. La maison était presque remboursée. Avec les allocs et le salaire d'assistante scolaire de la mère de Jérémy, ils pouvaient tenir encore des années, terrés comme ils l'étaient. Jérémy avait mis du temps à me demander des nouvelles de Fus. Ça lui coûtait, c'était visible, de ne plus rien savoir de mon fils après tant d'après-midi passés ensemble. Quand nous, les parents, les croyions amis pour la vie. Je le sentais cheminer, il pensait maintenant à la moman, sa gentillesse, le plaisir qu'elle avait à l'accueillir chaque fois. Où était-il le jour de l'enterrement ?

44

Avait-il appelé Fus les mois avant ou était-ce déjà cassé entre eux depuis longtemps? Il ne s'en souvenait pas. N'arrivait pas à mettre un jour où leur amitié s'était arrêtée. Il se sentait tout d'un coup un peu salaud. Cela avait déjà dû le chagriner. Pas suffisamment pour rétablir les ponts, juste un fourmillement. Ça restait la faute de Fus, après tout il n'avait qu'à pas mamailler avec cette bande. Ce soir-là, pour la première fois, il avait compris que l'histoire était plus compliquée. Il tournait son bock sur le vieux carton Amos et essayait de l'aligner parfaitement sur le motif. Il m'avait dit que leur relation leur avait échappé. Je m'étais empressé de dire : « Oui, ça arrive. Ne te bile pas pour ça. »

Le patron était venu à notre rescousse. Il s'était mis à nettoyer les tables. La nôtre aussi. On avait pu repartir sur autre chose, une nouvelle scène en quelque sorte. Jérémy avait parlé de Paris et de ses études là-bas l'année d'après. Comme il m'annonçait tout de vrac et tout de travers, on aurait dit qu'il en avait honte, je l'avais fait répéter. «Va pas si vite, on a tout le temps, raconte-moi bien tout, ça m'intéresse.» Alors, il m'avait fait la grande visite. Sciences Po. La suée pour y entrer. Les fils et les filles de bonne famille croisés dans les couloirs pendant les entretiens de sélection.

L'hésitation. La voie raisonnable, celle de passer la première année à Nancy pour travailler avec les Allemands. Il avait finalement choisi de s'attaquer à plus gros et de préparer l'ENA. Quarante malheureuses places pour toute la France. « Tu veux être ministre ? » C'était tout ce que j'avais trouvé à dire. Je n'étais pas au niveau de ce gamin, des efforts qu'il venait de faire pour m'expliquer les subtilités de son parcours. Je ne valais pas mieux que les lourdauds de tout à l'heure. Mais Jérémy avait été sympa. Il avait continué : « Ministre, je ne sais pas. Travailler dans un cabinet ministériel, pourquoi pas, cela se fait. » C'était Jérémy. Il savait parler aux gars de la base, pas leur montrer qu'il était trop intelligent pour leurs conneries. Il m'avait dit en souriant : « J'ai juste un prénom de merde pour ce que je veux faire. Il fait un peu trop fragile. À la limite, Kevin, tu vois, c'est connoté. On sait à quoi s'attendre. Les gens t'ont à la bonne d'être le Kevin qui ose préparer l'ENA. Mais Jérémy, c'est rien, c'est bâtard comme nom. » Je n'avais pas su quoi dire, je ne m'étais jamais posé la question.

La soirée s'était enquillée. Le patron avait continué à passer entre les tables, occupé à remplir les petits flacons de ketchup, à remettre sel et poivre. Une activité d'enfer, un mouvement qui nous distrayait. Il nous regardait du coin de l'œil, pas méchant, juste intéressé à ce que tout se passe bien dans son établissement. Jérémy m'avait de nouveau parlé de Paris. Les jeunes qu'il avait rencontrés étaient remontés comme des pendules, bourrés d'ambition et de certitudes. Il ne s'en plaignait pas, au contraire. Il m'avait dit : « C'est ce qui nous manque ici. Des gens, à commencer par les profs, qui nous poussent au cul. Qui nous envoient à Paris, qui ne se contentent pas trop facilement de nos maigres succès. On ne vaut pas moins que ceux que j'ai croisés, juste on n'y croit pas assez. On ne sait même pas que tout cela existe. » Je ne savais pas s'il me disait ça pour Gillou. Si on avait laissé passer le train pour Fus, il n'était peut-être pas trop tard pour lui. Il fallait juste trouver le moment.

Le silence du bourg nous tenait compagnie. De temps en temps une voiture filait dans la côte, qu'on suivait presque jusqu'à Rédange. Rien d'autre. Le patron avait éteint la radio et lancé son lave-vaisselle dans la cuisine. Il continuait de nous couver. Son bistrot, malgré son nom, malgré le néon rouge con, imitation de routier américain, qui prenait tout le haut du bar, était resté dans son jus et sa lumière blanche, bien trop blanche pour prétendre à quoi que ce soit d'autre. Je n'y étais retourné que récemment, quand j'étais sûr de savoir me contrôler et de m'en tenir à mon demi, deux des fois, mais jamais plus. D'ailleurs je n'y mettais les pieds que les bons soirs, souvent après la section. Pas forcément pour discuter. Ni m'éterniser. Pas comme certains. C'était bon d'en sortir l'esprit clair et de ne pas reprendre tout de suite la voiture : je poussais jusqu'à l'église, puis par le chemin des cantonniers, une grimpette de presque un kilomètre, torturée de lierre,

j'arrivais au cimetière fermé à cette heure. Je
lui parlais assez fort, j'essayais de lui raconter
de belles choses. Je lui parlais des enfants, de
comme ils grandissaient. Je l'imaginais contente
de nous savoir ensemble.

Jérémy avait dû se rendre compte qu'il me
perdait. Il s'était arrêté de parler, m'avait dit : « Je
fais cela aussi pour nous, pour que les choses
changent. Je serai plus utile là-bas qu'ici. – Je te
crois, et quand bien même, tu n'as à te justifier
de rien », je lui avais répondu. Et puis je m'étais
lancé : « J'aimerais bien que Gillou fasse comme
toi. Tu crois que tu pourrais lui parler, un de ces
jours ? » Jérémy m'avait proposé que je l'amène
chez ses parents, je voyais qu'il n'était pas prêt à
revenir chez nous, l'endroit était encore hanté.
Mais il semblait content de sa mission, une
toute première occasion de jouer le rôle de
premier de cordée qu'il s'était assigné.

Jérémy et Gillou avaient passé plusieurs
après-midi ensemble. Il lui avait donné des
livres et des papiers à lire et lui avait fait
rencontrer deux de ses bons potes de prépa. Un

garçon et une fille qui venaient également de
la cambrousse, mais qui étaient déjà, à l'image
de Jérémy, prêts au départ. C'étaient des voix
crédibles, d'autant plus crédibles que la fille que
Gillou m'avait demandé de raccompagner à la
gare était belle à croquer. Elle aussi se destinait
à Paris, « mais ce n'était qu'une étape », elle se
voyait bien plus loin. En quelques minutes
seulement, sur le chemin de la gare, on avait
abordé beaucoup de choses. C'est elle qui
lançait les sujets, en jeune femme pressée.
Gillou en extase. Il écoutait notre ping-pong, les
avis tranchés de cette fille qui de la banquette
arrière s'était vite glissée dans l'espace entre
les deux sièges avant, son visage au milieu des
nôtres, nous entourant de ses bras, pour s'éviter
le pare-brise si jamais je devais piler. À la gare,
elle s'était éclipsée sur un « alors on se revoit
dans la capitale ? » adressé à Gillou, qui n'avait
pas eu le temps de répondre, elle avait déjà filé.
C'était ça Paris. Nous étions restés silencieux
jusqu'à la maison.

Jérémy avait bien bossé : jusqu'à Noël, Gillou s'était démené sur tous les fronts. Il avait discuté avec ses professeurs, on était allés à plusieurs reprises à Metz, à Nancy, et même à Paris pour les journées portes ouvertes de Carnot, « une porte d'entrée, exigeante, mais pas insurmon-table ». Dans la cour d'honneur, on avait été accueillis par les anciens, Aragon, Gustave Eiffel et tant d'autres. Les vitrines qui rassemblaient leurs vieux carnets de notes, leurs copies ou leurs livrets militaires n'en finissaient pas. Au milieu de ces petites boutiques, une plaque à la mémoire de Guy Môquet. Le discours du proviseur s'était tenu dans une salle aux fenêtres tout en hauteur, pas spécialement belle, mais qu'importait, tout vendait un monde meilleur. Rien ne disait qu'il y aurait une place pour mon Gillou, et je n'avais aucun moyen de l'aider là-dedans, je me contentais de faire des sourires imbéciles et timides à tous les gens, professeurs, élèves, concierge qu'on pouvait croiser : mon maigre écot à ses envies. Gillou, une fois installé à une terrasse de café, m'avait dit en souriant : « On ne va pas s'enflammer. Il faut déjà que j'assure la fin d'année et puis que j'aie ma mention. » J'avais regardé le quartier qui suait le fric, les façades impeccables, tous ces gens bien mis qui s'affairaient, et je m'étais demandé où on allait pouvoir loger Gillou dans le coin sans que je sois obligé de revendre la maison. Il y avait peu de places à l'internat, et je n'avais pas compris comment ils affectaient les rares chambres disponibles. Mais Gillou avait raison, on n'en était pas là. On était pris tous les deux dans nos pensées. Gillou m'avait soudain demandé : « Tu crois que Fus est heureux de

tout cela ? » Je n'en savais rien, certainement pas
à vrai dire. Mais j'avais préféré ne pas trop y
penser. « Il sera toujours fier de toi, Gillou. Tu
l'inviteras à passer des week-ends à Paris. Ou
tu rentreras. Tu ne paies pas le train jusqu'à tes
vingt-cinq ans, tu peux rentrer autant de fois
que tu veux. » Je ne l'avais pas convaincu. Je
ne l'étais pas moi-même. Mais on avait stoppé
là. On avait passé les quelques heures à tuer
avant le train au musée du quai Branly, sur les
conseils de Jérémy.

Fus nous avait bien reçus. Il avait préparé le
repas et rangé la salle à manger. Il avait pris des
nouvelles de son frère et avait gentiment vanné
« le Parisien ». À peine étions-nous installés
autour de la table que Gillou s'était lancé et
avait conté sa vie à venir. Il avait perdu toute
prudence, comme s'il y était déjà. Pourquoi
doucher cette foi toute neuve ? J'étais pourtant
plein de superstition. Je n'avais cessé de dire :
« On verra, on verra. » Fus n'en finissait pas
avec ses « stylé », mais le pensait-il vraiment ?
Ça n'avait pas arrêté Gillou qui continuait

à s'enflammer. Fus tripotait son verre, ses couverts. Le mercato, comme il l'appelait, semblait se concrétiser : son frangin serait sur le banc parisien l'année prochaine, et lui allait rester à la maison. J'avais de la peine pour lui, et le babil insouciant de Gillou nous était devenu insupportable. J'avais proposé à tout le monde d'aller se coucher. Drôle de journée, qui m'avait laissé à des lieux de tout, balloté entre mille pensées contradictoires, sans la moindre idée de ce que je devais espérer.

C'est le Bernard de la section qui m'avait alerté : « Dis voir, t'as cinq minutes ? Il faut que je te dise quelque chose. Tu sais qu'on a tourné hier avec les camarades près du dépôt. On collait pour le 1er mai quand on a vu la bande des pieds nickelés du FN au bout des voies. Ils collaient eux aussi pour leur Jeanne d'Arc, sous le pont et sur tout le mur qui va jusqu'à l'aiguillage. On s'est branchés à distance, on était le même petit nombre, pas mieux, pas moins outillés qu'eux. Personne n'avait vraiment envie d'aller à la baston. Le Mimile et l'Ominetti étaient déjà rentrés, on n'était pas les plus virulents. Et comme en face ils n'avaient pas l'air plus décidés, on s'est contentés de s'insulter, puis d'attendre. On est repassés deux heures après pour recoller sur leurs affiches, et j'imagine qu'ils nous ont salopé le travail depuis. C'est la vie, que veux-tu. » Je n'avais pas vu où il voulait en venir. Ça faisait longtemps que je ne sortais plus coller, et ces histoires me passaient maintenant au-dessus de la tête. C'était un jeu, à qui aurait le dernier mot. Chacun avait ses bastions, des endroits qui ne supportaient que ses couleurs. Il fallait les voir, certains matins, contents de leur coup, quand ils avaient envahi d'affiches les terres de l'autre. « Ce qui me chiffonne, avait continué le Bernard, c'est que je crois avoir aperçu le Fus qui zonait avec eux. Je n'en mettrais pas ma main à couper, mais il y avait ce grand qui avait la même dégaine que ton fils. Les copains n'ont rien remarqué, mais je suis à peu près sûr. Un blouson avec un grand apache sur le dos, c'est lui ? – Peut-être, enfin, non, je ne crois pas », c'est tout ce que j'avais balbutié. Le

Bernard avait simplement continué : « Te bile pas, c'est des conneries de jeunes. Faudrait juste pas qu'il tombe mal. Tu les connais chez nous, il y en a des teigneux qui n'hésiteraient pas à cogner, même sur ton fils. » Et en me donnant une grosse bourrade : « Si c'est pas malheureux de retourner comme ça la tête des gosses », qu'il avait conclu. Fus avait vingt-deux ans, ce n'était plus un gosse. Que fabriquait-il avec ces fachos ?

Quand je lui avais demandé le soir, il n'en savait rien. Il accompagnait juste des potes, c'était la première fois qu'ils allaient coller, il voulait voir ce que ça faisait. J'avais eu beau penser à cette soirée, ruminer ce que j'allais faire, le gifler, aller à la bagarre avec lui, il n'y eut finalement rien. Rien du tout. Rien de ce que j'avais pu imaginer. Je n'étais plus d'attaque pour me le coltiner. Ce soir-là je m'étais senti infiniment lâche. Très vieux aussi. Je me souviens d'avoir longuement regardé le jardin. Il était vraiment beau, les arbres fruitiers perlaient tout ce qu'ils pouvaient de la dégelée qu'ils venaient de se prendre et une pluie d'encre s'annonçait de nouveau dans la demi-heure. J'aurais dû lui rentrer dedans, je m'en étais tenu à une discussion, pas même une engueulade. « Comment as-tu pu faire ça ? », je lui avais demandé. Il s'était contenté de me dire : « Ce n'est pas ce que tu crois. » Qu'est-ce que je pouvais bien croire ? Puis il avait enchaîné : « Ça fait combien de temps que tu ne colles plus ? Que tu fais juste des petits goûters de section ? » Je lui avais demandé si ça ne le gênait pas de traîner avec des racistes. « Ils ne sont pas racistes, c'était avant, ça. En tout cas, mes potes ne sont pas racistes, pas plus que toi et moi. – Non, pas racistes, juste contre les immigrés, j'avais rajouté. – Contre l'immigration, Pa, pas contre les immigrés. Ceux qui sont là ne les dérangent pas tant qu'ils ne font pas le caillon. » Des gens normaux en définitive. Et puis comme s'il voulait achever de me convaincre, il avait dit de nouveau : « C'est des bons gars. Pas comme tu crois. » Il s'était assis en bout de table. Il attendait peut-être que je le rejoigne, que j'aille d'abord nous prendre deux canettes, qu'on se les descende à la coule ? J'étais resté dans le coin, près de la fenêtre, dans son dos. Surveiller si Gillou ne rentrait pas. Peur qu'il nous trouve comme ça. Fus avait continué à parler doucement : « Crois-moi, les mecs sont aux côtés des ouvriers, il y a vingt ans vous auriez été ensemble. Ils s'en fichent pas mal de ce qui se dit à Paris, eux. C'est notre coin qui les intéresse, ils n'ont pas envie de le laisser crever. Ils se bougent. Ils en ont marre des conneries de l'Europe. Ils reçoivent de la tune de Paris qu'ils redistribuent dans le coin. Tiens, samedi dernier, ils ont rééquipé de fond en comble la maison d'un petit vieux qui venait de se faire cambrioler. Que cela te plaise ou pas, les gens ne crachent pas dessus. » Voilà comment on justifiait en moins de dix minutes de traîner avec l'extrême droite. Comment on se résignait à ce que son fils soit de l'autre côté. Pas chez Macron, mais chez les pires salauds. Les potes des négationnistes, des ordures. Fus était calme, presque content que cette explication arrive. Il assumait. Un vrai témoin de Jéhovah, perfusé de conneries, avec de nouvelles certitudes, qui restait aimable. J'avais honte. Désormais on allait devoir vivre avec ça, c'était ce qui me gênait le plus. Quoi qu'on fasse, quoi qu'on veuille, c'était fait : mon fils avait fricoté avec des fachos. Et d'après ce que j'en avais compris, il y prenait plaisir. On était dans un sacré chantier. La moman pouvait être fière de moi. Fus avait fini par se lever et dire : « Cela ne change rien. »

De toutes les semaines qui avaient suivi, je n'étais pas sorti, sauf pour aller au boulot. J'avais évité de le croiser, mais ce n'était pas toujours possible, et puis il y avait Gillou. On faisait bonne figure pendant les repas. On se gardait de lancer des discussions. C'est Gillou qui le faisait à notre place. On restait d'accord sur plein de choses. À se demander comment c'était possible. Comment, en traînant avec des fachos, pouvait-on aimer ce que nous avions toujours aimé ? Il continuait à passer les Jean Ferrat de la moman, comme il le faisait depuis qu'elle était morte. Bordel, il comprenait les paroles? « Desnos qui partit de Compiègne accomplir sa propre prophétie. » Comment pouvait-il encore fredonner cette chanson? Il traînait maintenant avec ceux qui l'avaient foutu dans le train. Pourtant je ne disais mot. Une fois seulement, je lui avais demandé de se taire. Gillou m'avait regardé, avait souri à son frère, un clin d'œil, « le vieux n'est pas de bonne humeur ce soir ». Heureusement Gillou n'avait pas compris. Tant mieux.

Tout m'y ramenait. Et pourtant, comme il l'avait dit, ça ne changeait rien. J'allais le voir au stade. Quand il sortait avec sa bande, il le faisait discrètement, comme s'il voulait éviter de davantage me blesser. Il avait des égards pour son père cocu. Il y eut même de longues semaines où il resta chez nous, pour réviser son examen de fin d'année. J'avais espéré un moment que ce soit fini, qu'un soir il me dise « je ne sais pas ce qui m'a pris » et qu'il revienne avec moi. Un moment d'abandon. Qu'on aille ensemble à la section. Sur la tombe du grand-oncle Laurent, cégétiste de la première heure et déporté, enterré sous les drapeaux rouges et tricolores. Mais ça n'était pas arrivé. Au contraire, il s'était remis à sortir.

Une fois, un gars de leur bande était venu sonner à la porte. C'est moi qui lui avais ouvert. Une bonne tête. Habillé normalement. Bien poli. Je l'avais fait entrer, on s'était dit quelques mots, parce que c'était dur de faire autrement. Je crois même qu'on s'était serré la main. Machinalement. Il m'avait complimenté sur le jardin, et dit que c'était le passe-temps de ses parents, qu'il leur prêtait parfois la main. Qu'est-ce que je pouvais faire ? Maintenant que je l'avais laissé entrer, maintenant qu'on avait un peu parlé, je n'allais pas m'engueuler avec lui. Je n'allais pas me sauver non plus. Fus avait mis du temps pour sortir de sa chambre. Je l'avais regardé encore. Un gars sain, sportif. Au regard bien droit, franc du collier. Pas méchant pour un sou. Le type de gars qu'on souhaitait mille fois comme copain à ses enfants. Fus avait enfin rappliqué. Tous les deux m'avaient longuement salué, deux bons potes. Ils étaient partis bras dessus bras dessous. Ils étaient montés dans une petite camionnette nickel, sans doute de location.

Pendant toute la journée, j'avais repensé à ce gamin. J'avais essayé de l'imaginer le soir courir après des Arabes et se mettre à les tabasser. Mais ça ne prenait pas. Pas plus que pour mon fils. Ils devaient pourtant bien faire des choses ensemble. Des choses de fachos. Sinon à quoi bon ? J'avais eu beau m'escrimer, rien ne tenait. Tout glissait sur sa gueule d'ange.

Quand Fus était rentré ce soir-là, contrairement à son habitude, il n'était pas monté dans sa chambre, il était venu me rejoindre dans la cuisine. « C'était Hugo, qu'il m'a dit. Ses parents habitent une des maisons près du ruisseau Beller. » Comme si ça devait me rassurer. Des petites maisons d'ouvriers, bien retapées pour la plupart, pas très loin de la gare. Je n'y connaissais plus personne depuis que l'Armand avait revendu la sienne à un couple de jeunes infirmiers. « Ils sont sympas, tu devrais voir leur jardin… – Je sais, ton pote m'a déjà dit », je l'avais coupé. Fus s'était contenté de dire un « ah bon, c'est bien ». Je m'étais acharné à râper les carottes, ça m'avait gardé la tête dans le saladier. Entre envie de continuer à discuter, d'en savoir plus sur ce fameux Hugo, sur ce qu'ils avaient fait cet après-midi et garder au sec la gueule que je lui imposais depuis plusieurs semaines. Il était resté à mes côtés assez longtemps sans rien dire, raide comme la justice. Il avait attendu mon ouverture qui n'était jamais venue ce soir-là. Alors il s'était mis à vider le lave-vaisselle, il avait râlé qu'il ne lavait plus rien, ce qui n'était pas tout à fait faux, mais je rechignais à cette dépense depuis des mois, et, après avoir relavé à la main ce qui devait être lavé, consciencieusement essuyé ce qui n'était pas bien essoré et rangé le tout proprement, il tenait enfin une bonne raison d'abréger notre séance et de quitter la cuisine. De mon côté, j'avais le sentiment d'en avoir fait beaucoup et je trouvais déjà beau qu'on vive ensemble sans se taper dessus.

Avec son Hugo et d'autres, ils récupéraient des vieux meubles de la région, des armoires, des bonnetières lourdes et noires, qu'ils retapaient pour les revendre. Après un bon décapage, de la céruse, ils les rendaient supportables. Ou ils les laquaient dans les couleurs d'aujourd'hui, des taupe, du vert criard. La majorité partait comme des petits pains et, pour les coucous qui ne trouvaient pas preneurs, ils les redonnaient directement à leurs pauvres. J'avais su tout ça de Gillou qui suivait les exploits de son frère à distance. Sur Facebook, ils avaient l'air de bien se marrer. On les voyait torse nu en train de s'acharner sur leurs planches. L'atelier était crado comme pas permis, des canettes partout, des tags sur les murs qu'on n'arrivait pas à lire. Certains le clope au bec. Avec des cheveux longs, des queues-de-cheval, on retrouvait notre MJC d'avant. Là, c'étaient plutôt des coupes bien dégagées sur les oreilles. Il y avait deux trois filles sur les photos, c'étaient presque elles qui faisaient peur. Elles ne faisaient pas grand-chose dans l'atelier, elles regardaient juste le travail des mecs, installées sur un établi, des gros écrase-merde aux pieds, des pantalons d'armée, des débardeurs d'homme. Leur visage grêlé de morgue et de haine. Et s'il n'y avait eu qu'elles ! La page continuait sur des trucs de rap que je ne saisissais pas, mais surtout sur un tas de commentaires où on niquait et enculait tout ce qui n'était pas pur blanc breveté. Juifs et pédés étaient les mieux servis, suivis de près par les Arabes, mais comme tout s'accompagnait d'une kyrielle de petits smileys, j'imagine que ça ne portait pas trop à conséquence. De temps à autre, quelques messages appelaient à davantage de retenue, des modérateurs ou des petits kapos locaux qui ne voulaient pas se faire taper sur les doigts par Paris, mais l'ensemble restait à gerber. Gillou savait donc tout pour son frère, j'avais été bien naïf de croire que je le protégeais de cette histoire. « Alors tu sais ? je lui avais demandé. – Oui, mais cela ne change rien », qu'il m'avait simplement répondu. Lui aussi donc. Il n'y avait que moi qui trouvais à redire. « Il n'y a rien qui te choque dans toute cette merde, ça ne te gêne pas que ton frère baigne là-dedans ? Toi aussi tu penses comme eux ? – Papa, Fus n'est pas comme cela. Ses potes sont chtarbés, mais lui, cela reste un bon gars. Et puis ce qu'ils font, leur atelier de récupération, je trouve ça plutôt pas mal. Personne ne les oblige à le faire, cela leur bouffe tous leurs samedis. C'est mieux qu'ils soient là plutôt qu'ils zonent au café du coin. – Mais t'as pas envie de lui dire qu'il se goure ? », j'avais insisté. Gillou s'était contenté, comme souvent, de me dire « t'inquiète ». Je ne sais pas quelle foi l'habitait, comment il voyait le retour de l'enfant prodigue. « T'inquiète. »

On avait franchi une nouvelle étape et on avait vécu là-dessus pendant plusieurs semaines. En plus de son atelier, et comme le temps le permettait, Fus campait avec ses potes à une dizaine de kilomètres de chez nous, dans un coin assez beau. Un paysan leur avait cédé – sous quelle pression, je ne savais pas – un minuscule lopin avec une cabane dessus qui servait de Q.G. Autour, ils avaient installé des tentes, vite renforcées de planches et de tôles. Je consultais leur page Facebook régulièrement, sans l'aide de Gillou. Et je voyais les mêmes visages. Leur truc ressemblait à un squat. Comme dans tous les squats, les belles choses poussaient au milieu de la merde. Ils s'étaient construit une véranda de toute beauté sous laquelle ils buvaient leur coup. Gillou m'avait dit : « Tu vois, ils s'en fichent pas mal de la politique, ce qui les intéresse, c'est de faire ce genre de trucs, être ensemble. » Et c'est vrai qu'en regardant uniquement ces photos, si l'on faisait abstraction de tout le reste, si on ne lisait pas les commentaires dégueulasses qui truffaient leur page, on pouvait se dire que tout allait bien.

Le mardi juste après la Pentecôte, Gillou avait reçu les réponses à ses différentes candidatures. Il était descendu de sa chambre et nous avait dit : « C'est bon. – C'est bon, quoi ? », que je lui avais demandé car la date des résultats m'était complètement sortie de la tête, j'étais focalisé sur ses épreuves de bac. « Bon pour l'année prochaine. J'ai tous mes choix. Fabert avec internat. Carnot aussi, mais je suis en liste d'attente pour leur internat. Loin sur la liste, donc je ne pense pas que je l'aurai. » Il avait continué : « Ils sont chiés de faire ça. De t'accepter et puis de te laisser te débrouiller pour ton logement. Ça ne devrait pas être permis pour les gars de province. De toute façon, je pense que je vais confirmer Fabert, Metz c'est déjà bien. » J'avais failli accepter et lui dire connement « fais comme tu crois », c'est Fus qui m'avait sauvé la mise : « Déconne pas Gros, qu'il lui avait dit, vise haut ! Tu as la chance d'avoir Paris, tu prends Paris. Pa et moi, on se démerdera bien pour ta piaule. » J'avais regardé Fus et j'avais dû sortir de la pièce, vite, car la chiale m'était montée aux yeux. Une marée qui m'avait pris tout le haut de la tête, les tympans ratatinés de douleur et des larmes grosses comme des globes. J'avais pleuré tout ce que je pouvais dans la voiture, puis au cimetière où je m'étais posé sur un banc. Même pas près de la tombe, mais qu'importe, j'étais bien là. Quand j'avais été sûr de pouvoir tenir le coup, je m'étais passé pendant cinq bonnes minutes le visage sous le robinet qu'ils avaient été installer au fin fond du cimetière, personne n'avait jamais compris pourquoi. Une petite vieille qui agençait les fleurs sur les tombes m'avait observé en coin. J'avais dû lui faire peur avec ma tête boursouflée et mes cheveux trempés, et pourtant je crois qu'elle et moi on se connaissait de loin. J'avais eu peur de rentrer à la maison. Pourtant, rien n'avait changé. La soirée avait été tranquille, on était repartis sur ce faux rythme entre Fus et moi, où on se parlait ce qu'il fallait. J'avais juste demandé le soir à Gillou : « C'est bon ? Tu as confirmé Paris ? » Il m'avait simplement dit : « Oui, merci. »

Il avait venté ce mois-là comme jamais. Du vent et des déluges. Qui prenaient salement tout le coin, le mettaient plus bas que tout. Fus était revenu à la maison, leur camping était noyé pour un bon bout de temps. Un matin, il m'avait dit : « Il faudrait s'occuper de la chambre de Gillou à Paris. Il faut le faire avant les vacances, à la rentrée ce sera trop tard, il n'y aura plus rien. » Il avait raison, mais je ne cessais de repousser ça, je m'étais vaguement intéressé aux foyers de conducteurs SNCF, sans vraiment faire de démarches pour y réserver quelque chose. Fus avait continué : « Je peux y aller ce week-end avec lui, si tu veux. On peut dormir chez un pote samedi soir. En faisant toutes les annonces, on devrait trouver quelque chose. » Je n'avais pas répondu à Fus, car je ne discutais plus avec lui. Je me contentais en pareil cas d'agir, souvent de suivre ses conseils sans lui donner raison. Ça se faisait naturellement. C'était ainsi désormais. Il me parlait, me disait ce qu'il avait à me dire ou à me demander, de préférence devant Gillou pour que la conversation, s'il devait y avoir conversation, ne prenne pas entre nous deux. Et je faisais ce que j'avais à faire. Si je ne comprenais pas ou si j'avais à redire, je me débrouillais pour le dire à Gillou pour qu'il en parle à son frère. Ou alors je ne faisais rien et je laissais pourrir la situation.

Pour le coup, je les avais laissés partir. C'était le premier week-end après le bac. Je leur avais donné tout ce qui pouvait rassurer un proprié-taire, des fiches de salaire, des attestations de la SNCF, jusqu'au relevé de compte que la moman avait ouvert juste avant qu'elle ne tombe malade et que j'avais scrupuleusement abondé depuis, comme si cela avait été la première des choses sacrées. Ils étaient revenus bredouilles. Et étaient repartis le week-end suivant. Et ainsi jusqu'à la mi-juillet. J'avais demandé à Gillou s'il fallait que je vienne, les deux m'avaient répondu : « T'inquiète, ça va finir par le faire. » Ils s'habillaient proprement, bien rasés et peignés. Deux beaux gamins. Je me demandais qui pouvait être le fameux copain qui les hébergeait chaque samedi. Gillou, que j'avais cuisiné, restait très vague et m'avait dit qu'ils l'avaient à peine croisé. Il prenait plaisir à ces échappées avec son frère. Même sans logement, il rentrait radieux le dimanche soir. Fus était tout aussi jovial. Comme s'il avait oublié que nous étions en froid, il me parlait à peine arrivé et me racontait tout par le détail. Je le laissais dire sans lui poser de questions. Alors, au bout de quelques minutes, il se rendait compte, il se rappelait où on en était et s'éteignait. Je n'ai su qu'ils dormaient chez un facho, un gars salement impliqué au Front, qu'après. C'est Gillou qui avait fini par me cracher le morceau, quand ils

avaient enfin trouvé sa chambre pour la rentrée.
Fus lui avait mis une pression terrible pour
qu'il ne vende pas la mèche. Ils avaient dormi
dans cette chambre qui servait aussi de local
pour entreposer affiches et armes de baston.
Une fois encore, je n'avais rien su faire d'autre
que de gueuler. J'avais la rage, mais les coups
n'étaient pas venus, à blanc comme dans un
cauchemar. Vingt fois j'avais vu la tête de Fus,
son cou, sa grosse pomme d'Adam qui ne
cessait de trembloter, vingt fois j'avais eu envie
de l'empoigner, je voyais ce qu'il fallait faire,
là où poser mes mains, prendre les deux côtés
du T-shirt, les ramener d'un coup sec à en faire
craquer le col, me servir de l'étoffe pour mieux
le suffoquer, en même temps lui remonter
mon genou dans les couilles pour l'immobi-
liser contre le mur, tout ça c'était possible,
tout ça je savais le faire et je l'avais déjà fait
sur d'autres, mais rien n'était venu, rien n'était
descendu aux bras. Toute cette rage m'était
restée dans la tête, m'avait traversé la gorge,
m'avait chauffé les poumons, mais elle n'était

allée nulle part ailleurs. Au contraire, j'avais les jambes cotonneuses et les bras totalement inutiles et interdits. Alors, j'avais hurlé tant et plus, ça j'arrivais encore à le faire. Je lui avais hurlé de ne plus jamais mêler son petit frère à ses putains d'affaires, je lui avais hurlé qu'il ne méritait pas sa mère, je lui avais hurlé d'autres choses insensées, salopes au possible. Il m'avait regardé sans me craindre. Sans me braver non plus. Presque inquiet pour moi. Quand, à bout de souffle, à bout de saleté, j'avais fini de l'agonir, il m'avait simplement dit : « C'était difficile de faire autrement, tu comprends ? Au moins, on lui a trouvé une chambre. Pas trop chère et pas loin de son bahut. » Puis, histoire de ne pas partir comme un lâche, il s'était assuré que j'avais bien épuisé toute ma rage, que je n'en redemandais plus, avant de quitter la pièce. Je n'avais rien dit à Gillou. Même si je lui en voulais, j'étais incapable d'ouvrir un nouveau front avec lui. À quoi bon ? Et c'était vrai, la chambre à Paris solutionnée, ce n'était pas rien.

Fus n'en avait pas voulu à Gillou de m'avoir tout ratché. Au contraire, il s'était pris au jeu de Paris et lui avait rapporté au fil des jours une foule de choses qui lui seraient utiles une fois là-bas. Un lampadaire, une belle lampe de bureau, de la vaisselle à ne pas savoir quoi en faire. À chaque fois, c'étaient de vrais cadeaux, des marques chères, achetées chez Terville, qu'il payait sur ses sous d'apprentissage. Il lui avait également acheté un trousseau avec des jeans et des T-shirts à la mode : « Pas que tu aies l'air d'un paysan dans ta classe de champions. Gros, tu représentes la Lorraine, promets-moi de faire gaffe à partir de maintenant. Tes gros joggings paillasse et tes maillots Franprix, tu les gardes pour le week-end. » Ma colère contre Fus ne s'était pas calmée. J'étais resté en retrait de toute cette effervescence. Parfois je me demandais si cette débauche de gâteries ne m'était pas destinée, n'était pas là pour m'attendrir. Gillou, qui était fin, savait me ménager et réservait le gros de ses remerciements une fois seul avec son frère.

Août, c'est le meilleur mois dans notre coin.
La saison des mirabelles. La lumière vers les cinq
heures de l'après-midi est la plus belle qu'on
peut voir de toute l'année. Dorée, puissante,
sucrée et pourtant pleine de fraîcheur. Déjà
pénétrée de l'automne, traversée de zestes
de vert et de bleu. Cette lumière, c'est nous.
Elle est belle, mais elle ne s'attarde pas, elle
annonce déjà la suite. Elle contient en elle le
moins bien, les jours qui vont rapidement se
refroidir. Il y a rarement des étés indiens en
Lorraine. On dit beaucoup de la lumière du
nord de l'Italie en été, je veux bien le croire, je

n'y suis jamais allé, mais je suis prêt à parier que
la nôtre, pendant cette toute petite période, ces
quinze jours d'avant la rentrée, à ce moment
précis de la journée, la surpasse haut la main.
La lumière des derniers apéritifs dehors. Les
gens sont heureux. Le Jacky n'avait cessé de
nous inviter. « Quand même, on ne t'a pas vu
avec les enfants de tout l'été. Tu fais la gueule
ou quoi ? » J'avais tortillé tout ce que je pouvais
pour ne pas y aller, tellement j'avais honte. Mais
le Jacky avait insisté tant et plus. Qu'est-ce que
je pouvais faire ? Il nous avait toujours aidés, il
avait toujours été là dans les moments sérieux.
J'avais profité que Fus et Gillou ne soient pas
là un soir pour y aller. « T'es venu seul ? qu'il
m'avait demandé. – Bah oui, c'était un peu
compliqué pour les enfants. Ils vous passent
le bonjour. – J'ai prévu trop large du coup.
Je leur avais pris une tonne de ribs. Tant pis,
tu remporteras ce qui restera, ils y goûteront
demain. Ça n'en sera que meilleur. » Le Jacky
avait été cuisinier un temps dans un hôpital. La
nourriture ne se concevait chez lui qu'en très

grande quantité. Il s'était construit un barbecue de collectivité qui pouvait accueillir un cochon entier. Ça lui prenait une heure pour lancer son engin qui lui bouffait un plein sac de charbon de bois à chaque flambée. Cela m'avait fait du bien de m'installer sur leur terrasse. De regarder les choses un peu autrement. Son jardin de rocailles n'était pas vilain finalement. Quand, deux ans auparavant, il avait viré ses beaux massifs de fleurs, « trop d'entretien, vois-tu », je n'avais pas compris. Il avait passé des samedis entiers à aller chercher des pierres à trous dans les petites collines alentour, il avait ses filons, et je lui avais donné un coup de main pour les porter. Certaines, celles qui soutenaient la structure, pesaient bien cinquante kilos pièce. Il avait presque démoli sa bagnole dans l'affaire, à vouloir toujours plus en charger. Malgré tous ses efforts pour agencer sa petite butte, je n'avais pas été convaincu. Avant, ses hortensias lui donnaient des fleurs pendant tout l'été, et là, ç'avaient été des fleurs malingres qu'il se faisait livrer et qui ne rendaient rien. Des trucs chers qui venaient d'un peu partout. Et qui eurent vite fait de crever. Depuis, chardons et pissenlits avaient poussé au milieu de la rocaille. C'est beau un chardon quand on regarde bien. C'est plein de surprises, jamais fait de la même façon, un corps ingrat, mais une fine gueule.

Comme j'avais l'impression de porter l'histoire de Fus sur mon visage, je leur avais tout déballé, vite, qu'on en soit débarrassés. En leur racontant toute l'affaire, j'avais pris conscience que je ne savais même pas pour qui ils votaient. On n'en avait jamais parlé. Qu'ils soient de gauche, ça m'avait toujours semblé évident, mais je ne les avais jamais croisés ni à la section, ni à une quelconque manif. Lui, c'était un gars du peuple. Elle aussi, même si elle avait son bac. Sans manières. Leurs parents étaient du coin également. Ils avaient travaillé en usine, ce n'étaient pas des paysans. Et même s'il avait pris des cours du soir, et qu'il était passé chef d'équipe, le Jacky, pour moi, restait un ouvrier. Si ça se trouvait, les deux n'en étaient pas loin du FN. En tout cas, ils n'avaient pas été trop choqués de mes révélations. « Le Fus, ça restera toujours le Fus. C'est un bon gars », qu'il m'avait dit. Puis il m'avait baragouiné un truc comme quoi le FN n'avait pas forcément tort sur tout. Mais pas aussi nettement que ça. En s'empatouillant dans des phrases compliquées où il disait « attention je ne dis pas que… », mêlées d'autres « ne va pas croire que ». Je n'avais pas voulu trop creuser, je ne savais pas si c'était pour me mettre à l'aise vis-à-vis de mon fils ou s'il pensait sincèrement que ces abrutis portaient un fond de vérité. Ce n'était pas la soirée pour se prendre la tête, et puis de toute façon la nuit était tombée assez vite, on était passés à autre chose, comme elle nous y invitait.

Début septembre, il avait fallu installer Gillou à Paris. Je ne m'étais pas vu faire le voyage en compagnie de Fus, dormir tous les trois dans la chambre de Gillou. Alors nous étions partis tous les deux, Gillou et moi, la voiture chargée. Suffisamment chargée pour que la question de Fus ne se pose même pas. Mais je savais bien, et les garçons aussi, qu'en d'autres temps on se serait débrouillés. Au pire on aurait proposé à Fus d'aller en train et de nous rejoindre à Paris. L'idée m'avait traversé l'esprit, cela faisait tellement de temps qu'on n'avait pas été tous les trois ensemble ailleurs qu'à la maison, mais avec la meilleure des volontés c'était impossible, totalement impossible. Quand bien même Gillou m'aurait supplié. Mais il ne l'avait pas fait. On était partis comme ça. Fus avait fait la bise à son frère, comme si de rien n'était, puis il était resté près de la portière de Gillou. Avait fait semblant de courir à côté de la voiture comme un charlot quand j'avais démarré. Gillou ne regardait que lui, mais dès que nous avions passé la rue il s'était plongé dans de nouvelles pensées. Moi, j'avais gardé Fus dans le rétroviseur, bien après que la voiture eut franchi la petite allée des pavillons, bien après la sortie du village. J'avais continué à voir mon fils, droit, disant au revoir à son frère, sans un reproche pour personne. Comprenant et acceptant que cela soit comme ça, il n'avait cessé de faire bonne figure, du petit matin où on avait commencé à empaqueter les affaires, espérant peut-être que je changerais d'avis, jusqu'au trottoir où il s'était fait fort de ne pas gâcher la fête. Rien ne m'aurait empêché de faire demi-tour, de ficher tous les bagages qui encombraient le siège arrière à terre, de retrouver un bel et nouvel agencement et qu'on parte tous les trois, mais j'avais continué à rouler, de plus en plus pressé de rejoindre l'autoroute. C'était une fois sur l'A4, le péage passé depuis vingt bonnes minutes, que je m'étais dit : « Ça y est, c'est fait. » Et puis aussi : « Quelle merde. Quelle merde que cette vie. »

J'avais appréhendé septembre et le face-à-face avec Fus durant la semaine. Il était entendu que Gillou rentrerait chaque samedi après-midi et qu'on le remmènerait à la gare le dimanche soir, pour qu'il soit à pied d'œuvre le lundi matin. Malgré la distance, c'était possible maintenant qu'il y avait le TGV. Quand Gillou rentrait, seulement sur le coup de trois heures car il avait des devoirs surveillés de quatre heures le samedi matin, on était deux à se le disputer. Fus ne sortait pas tant qu'il n'avait pas vu son frangin, et en une heure de temps on lui faisait tout raconter. Comme on ne s'était quasiment rien dit, Fus et moi, de toute la semaine, on était tous deux contents de cette animation, d'entendre la grosse voix de Gillou meubler enfin la pièce. Les sujets étaient inépuisables et nous tenaient pour les deux repas du week-end, car le dimanche soir, c'était déjà fini, on ne soupait pas ensemble, on lui préparait des sandwiches qu'il mangerait dans le train.

Rapidement Gillou nous avait avoué qu'il piochait. J'avais eu l'idée d'appeler Jérémy à la rescousse : après tout il devait en être passé par là lui aussi. Jérémy, comme Gillou, rentrait chaque week-end depuis la rentrée, souvent ils étaient dans le même train. Quand Fus avait vu Jérémy dans la maison, c'était comme si j'avais enfin trouvé la solution pour l'achever et lui faire payer ses conneries. Les deux anciens meilleurs amis s'étaient salués petitement. Jérémy s'était empressé de s'installer à la table de la salle à manger et d'ouvrir ses dossiers. Il avait apporté des tas de polycopiés qu'il organisait et commentait au fur et à mesure qu'il les tendait à Gillou, collé à lui, qui buvait ses paroles. Fus et moi, nous nous étions vite sentis de trop. Fus avait bien essayé de rester, d'écouter ce que racontait son ancien pote, mais comme Jérémy n'en avait que pour son frangin, alors il s'était éclipsé. Je l'avais entendu lancer sa mobylette comme un gamin de quinze ans. Avec, cette fois, une bonne raison de partir et d'aller retrouver ses sbires. J'avais continué d'inviter Jérémy les samedis, sur le coup des cinq heures. Jérémy et Gillou travaillaient ensemble. Ils s'échangeaient des tuyaux, au début c'était à sens unique, mais rapidement j'avais été content de constater que mon Gillou commençait à connaître des choses. Jérémy avait fini par accepter de manger un morceau avec nous. D'abord cela avait continué de parler d'études, de Paris. De trucs à voir et à faire là-bas. Fus se prenait tout dans le buffet sans broncher. Il essayait même de s'intéresser et il posait quelques questions, quand il le pouvait. Les deux lui répondaient, ça il n'y avait pas de problème, mais il n'aurait pas été là, que ç'aurait été la même chose.

Un samedi sur deux, on filait au match à Metz. Le foot, que ce soient les matches de Fus ou ceux du FC Metz, restait un terrain neutre. On continuait d'y aller ensemble. On continuait de célébrer les buts de notre équipe. J'évitais juste de me mettre à côté de Fus, ça m'empêchait de lui sauter dans les bras quand nos attaquants marquaient, et encore, si cela avait dû arriver ça n'aurait pas été trop grave, Fus comprenait comme je le comprenais que cela ne voulait rien dire, que ces moments d'hystérie, en suspens, ne remettaient pas en cause le reste. Nos Sénégalais pouvaient enchaîner les buts, notre divin chauve, le Renaud, pouvait illuminer le terrain, on en restait là où on en était : deux mecs qui ne se parlaient plus ou à peine. On s'installait toujours dans la même tribune, celle qui donnait sur le canal, de tout temps la moins chère. Je me souviens qu'au début elle n'était même pas couverte. Au-dessus du but donc et de la Horda Frenetik, ou de ce qui en restait : elle s'était fait dissoudre l'année précédente, à cause d'un abruti qui s'était pris pour Lucky Luke et avait visé avec son pétard le gardien lyonnais. La Horda, c'étaient plutôt des gens de notre bord, enfin du mien maintenant. Les fachos, il fallait aller en face, dans la tribune Autoroute, pour en retrouver. Les deux tribunes se mettaient sur la gueule de temps à autre, en déplacement, quand elles devaient partager le parcage visiteurs, triste folklore. Rien à voir tout de même avec ce qui pouvait se passer à Paris. Jérémy nous accompagnait quand il le pouvait, même si le foot n'avait jamais trop été son truc, ça me faisait plaisir de lui payer sa place, une bière et une Stein à la fin du match. Comme pour les repas qu'on prenait à quatre, j'étais entouré par ces trois gars et, malgré notre histoire avec Fus, cela restait quelque chose. J'avais encore le sentiment de garder les événements sous un certain contrôle, pas que tout parte en eau de boudin. La moman m'habitait dans ces moments, je pense qu'elle était contente de la façon dont je gérais l'affaire. Je me disais qu'elle n'aurait pas fait autrement.

Et puis j'espérais, qu'à force, Jérémy pourrait remettre les idées en place à Fus.

Quand le sujet Paris s'était épuisé, il avait bien fallu parler d'autre chose. Jérémy ne savait pas pour Fus, en tout cas je ne lui avais rien dit. Dès sa rentrée à Paris, Jérémy s'était rapproché de Solférino et des Jeunesses socialistes qui lui avaient confié une mission sur les nouvelles solidarités. Je ne voyais pas trop ce que c'était, lui non plus d'après ce qu'il nous en disait, mais ça lui faisait rencontrer de temps à autre des pontes, ces gens qu'on pouvait voir à la télé. Son rôle à Jérémy, c'était de comprendre comment s'organisaient les jeunes, pourquoi ils étaient moins présents dans les associations. Jérémy nous avait raconté ça un samedi soir. Il s'enflammait à propos des microstructures qui recrutaient sur internet. Dix, douze mecs, des groupes aussi éphémères que des papillons. Pas de bla-bla, la vraie démocratie participative, des actions concrètes, décidées le matin, mises en place l'après-midi. Le paradis selon Jérémy. Il en avait plein la bouche. Mais s'il y avait un paradis, il y avait forcément un enfer. Et Jérémy avait embrayé sur les jeunes qui se fourvoyaient – plus qu'on ne croyait – dans tous les mouvements plus ou moins rattachés à l'extrême droite. Eux aussi, ils abandonnaient les grosses cylindrées, eux aussi ils allaient vers des groupuscules locaux, très différents les uns des autres, seulement habités de la même violence. Tournés vers les plaisirs du moment, des tournois clandestins de *free fight* aux concerts néonazis. Pour Jérémy, c'étaient les pires, les damnés des damnés : « À côté, ceux du FN Jeunes ou ceux du GUD, c'est presque des fonctionnaires. » Fus avait écouté. Il savait écouter. Il avait toujours su le faire. Il n'interrompait jamais celui qui parlait, au contraire il le relançait sans rien dire, juste en le regardant. Même quand l'autre s'arrêtait pour reprendre son souffle ou se racler la gorge, Fus n'embrayait pas. Ce soir-là, Jérémy ne s'était jamais arrêté. Il nous avait parlé pendant une bonne heure de la fachosphère comme on entendait à la télé. Gillou surveillait la réaction de son frère, qui n'était pas venue. Fus s'était juste mis à débarrasser la table, les déchets rassemblés sur l'assiette du dessus, les couteaux bien glissés et croisés sous les fourchettes comme la moman lui avait appris. Il avait mené cela avec précaution pour ne pas interrompre Jérémy et n'avait cessé de le regarder pendant toute la manœuvre. Il ne s'était levé que quand l'exposé semblait terminé, et encore il avait pris un temps incroyable pour le faire, prêt à se rassoir s'il avait pris l'envie à Jérémy d'en remettre une couche. Il était revenu avec des bières en disant : « Tout ça, c'est des conneries de Paris. Ça nous regarde pas. » Il s'était débarrassé de sa cargaison de canettes sur la table, puis était reparti chercher des choses à grignoter. On était passés à autre chose quand il était revenu avec les Curly, qu'ils dévoraient avec son frère à toute heure, même et surtout après le repas. Gillou avait dû parler à Jérémy après, lui dire pour son frère, car le sujet de l'extrême droite n'était jamais revenu dans la discussion.

On arrivait à vivre comme cela, en sachant, tant bien que mal. Les deux durant la semaine, les quatre pendant le week-end. La semaine, Fus et moi, on était en apnée, on se parlait sans se parler. On posait les pieds là où on pouvait encore les poser. En respectant les quelques points qu'il fallait pour que la chose reste vivable. Comme au boulot dans les mauvaises années : bonjour, bonsoir, les consignes néces-saires au bon fonctionnement de la maison, « quand tu pars, dépose la clé au Jacky, il va venir récupérer ses outils demain », « je ferai les courses ce soir » – mais plus jamais « y

a quelque chose qui te ferait plaisir ? ». Les
« ne m'attends pas ce soir » de Fus me soula-
geaient et permettaient de gagner un jour d'ici
le week-end, même si je me retrouvais un peu
con, l'assiette calée sur les genoux, seul devant
la télé. On se serait cru au théâtre : on gardait
nos distances, on mesurait nos entrées et nos
sorties, histoire de ne jamais nous retrouver
coincés dans un même couloir. C'était fini le
temps où on se serrait autour du petit lavabo de
la salle de bains pour se laver les dents. C'était
fini le temps où on bâclait la vaisselle en trois
coups les gros, l'un sur l'autre, en n'arrêtant
pas de se gêner, de se toucher, de se bousculer
gentiment. Désormais nos mouvements étaient
empesés, pleins de précautions : il fallait laisser
une bonne marge, si possible laisser l'autre
dégager les lieux avant d'y entrer. Comme si
on portait un scaphandre d'une tonne et qu'on
marchait dans une putain de zone radioactive.

Pourtant ma colère passait. Je le savais, mais
je ne voulais pas l'entendre. Je discutais le soir
avec la moman. Elle nous voyait moi et son

grand hanter la maison, mais je ne l'entendais pas me demander de passer l'éponge, vraiment pas. J'aurais changé sinon. Comme moi, elle n'arrivait pas à s'en dépêtrer. Comme moi, sa colère s'éteignait, mais pas sa honte. Ce n'était pas le regard des autres, comme je l'avais cru d'abord : ceux qui savaient n'avaient pas l'air trop choqués. Rien de ce que je craignais n'était arrivé. J'avais un fils différent et les gens semblaient s'en accommoder. Ou faisaient semblant. Fus n'était pas toxico, ce n'était pas une saloperie qui terrorisait le quartier, et ça leur suffisait. Ils savaient désormais qu'il était différent. Ils faisaient juste gaffe à ce qu'ils me disaient, à pas commettre d'impairs, pas me faire du mal par une réflexion à la con, un peu comme si je leur avais annoncé que Fus était homo. Rien de bien méchant donc. Ça demandait un peu d'attention, mais ça ne portait pas à conséquence.

On arrivait à avoir Jérémy chez nous presque toutes les semaines. J'avais plaisir à l'écouter nous raconter ses études, autant de plaisir que pour mon Gillou. Quand je n'étais pas en roulement, j'allais fièrement les chercher tous les deux à la gare de Metz pour leur éviter une correspondance au milieu de l'après-midi. Attendre le Métrolor pouvait être une vraie galère un samedi sur deux, j'étais bien placé pour le savoir. Et encore, quand tout allait bien, quand la correspondance à Thionville se faisait correctement, on s'enquillait une bonne heure et demie de trajet, presque autant que le Paris – Metz. Avec la voiture, ça allait quand même plus vite. C'était mon petit cérémonial, je partais bien à l'heure, histoire de ne pas leur faire perdre une seule minute de leur maigre temps libre. Je leur avais préparé de quoi manger et tenir jusqu'au soir, des wraps au poulet, des chips et des yaourts à boire, des trucs qu'ils s'enfilaient sur ce qu'ils avaient déjà mangé dans le train. J'avais envie qu'ils me disent vite tout de leur semaine, mais je sentais bien que Gillou préférait attendre d'être à la maison et que Fus soit là pour commencer à raconter. Je respectais cela, alors on mettait

France Inter, une émission sur les livres, qui nous plaisait bien, pas trop haut perchée, avec des Québécois à l'accent incroyable. Je pense que Jérémy avait plaisir à me voir, à voir les garçons – même avec Fus, le moment de gêne semblait passé, ils avaient trouvé un rythme – et à venir chez nous autant qu'il le pouvait. Chez ses parents, ça s'engueulait beaucoup, pour des riens et puis aussi, d'après ce que j'avais compris, pour des choses plus graves. Si on n'avait pas été là, il aurait fini par annuler son abonnement et serait resté à Paris. Ces trajets devenaient ma nouvelle vie. J'avais le sentiment de faire quelque chose de profondément utile, les fesses bien calées dans le siège, ma sciatique aux aguets, prête à me cisailler au moindre mouvement de travers, que j'arrivais à garder à distance pendant presque tout le voyage, concentré sur ma route, car l'A31 faisait rarement de quartier : on passait ou on y crevait. Faire ces trajets, c'était mon écot, aussi petit, aussi dérisoire qu'il soit, au succès de ces deux lascars.

Même en plein milieu de l'après-midi, la route, dès qu'on rentrait dans la saison froide, devenait difficile. Le coin après Thionville ne perdait rien de sa beauté, mais il devenait plus grave. Plus fermé. Et plus glissant. On savait que c'était parti pour plusieurs mois et on guettait déjà les premières neiges. On commençait à surveiller certains virages. On n'était pas mécontents d'arriver à la maison. D'habitude, Fus était là, occupé à bricoler au garage pour choper Gillou dès qu'il sortait de la voiture. Un chien n'aurait pas été plus fidèle. Ce premier samedi de novembre, il n'avait pas été là. Il n'avait pas eu son regard faussement surpris de notre arrivée, comme s'il ne nous attendait pas, comme s'il ne tournait pas en rond dans le garage depuis une bonne demi-heure déjà. On avait déposé Jérémy chez lui juste avant. On s'était donné rendez-vous pour plus tard, pour manger un morceau et refiler sur Metz voir le match. On avait retrouvé Fus étendu sur le canapé, le visage démonté. Il n'avait plus qu'un œil. Toute la partie gauche de son visage n'était qu'une immense plaie, bleue, noire, tuméfiée à en péter la peau. Il nous avait regardés, totalement hébété. Comme mort. Il y avait du Sopalin partout, gavé de sang. Et ça continuait à dégouliner de derrière l'oreille. Son bras gauche, recroquevillé sur sa poitrine, ne cessait de trembler. Comme ses jambes. Et nous étions restés là sans rien faire, de longues secondes, encore ensuqués du voyage, sidérés de voir ce grand gaillard totalement fracassé. Au bout du temps, Gillou avait fini par se précipiter vers son frère. Fus avait juste hurlé « attends ! » avant qu'il ne se rue sur lui et lui brise le peu de côtes qu'il lui restait. On avait mis un temps incroyable pour l'installer dans la voiture. Au volant, anéanti d'émotions, j'avais roulé comme un possédé.

J'avais été stressé par la route, car je ne situais plus l'entrée des urgences, et le peu de souvenirs que j'en avais, ça n'était pas évident, il y avait quelque chose qui n'allait pas de soi, un embranchement à ne pas louper sous peine de reprendre cinq minutes dans la vue. Je m'en étais voulu de ne plus savoir. J'avais toujours fait le malin avec ma mémoire des lieux, c'était bien la peine. Fus grognait derrière. Un truc sale. Je le surveillais dans le rétroviseur, il faisait vraiment peur. Un peu la route, beaucoup le rétro et évidemment, à ce régime, j'avais sauté le foutu embranchement. Comme on n'avait pas le temps et que j'étais en panique, j'avais pris le premier sens interdit pour ne pas avoir à refaire un tour. À l'arrivée devant l'hôpital, j'avais eu, pour extraire Fus de la voiture, la même peine que j'avais eue, avec Gillou, à l'y installer. On avait fini par le mettre sur la banquette arrière, de travers, les jambes appuyées sur le siège avant, qu'on avait replié vers le pare-brise. Fus était comme un zombie et ne nous avait pas aidés. Il s'était contenté de gémir, comme un animal apeuré, dès qu'on voulait le toucher. Gillou n'avait cessé de lui parler, de l'encourager à se plier un peu, mais Fus était resté impuissant, incapable du moindre mouvement. Devant l'hôpital, cela avait été encore pire. Gillou était resté à la maison, faute de place dans la voiture. Et seul, avec la meilleure volonté, je n'y étais pas arrivé. Comme je m'étais garé comme un salaud et que je bloquais l'entrée des pompiers, des brancardiers s'étaient enfin pointés, en me criant de dégager. Eux n'avaient pas eu peur des cris de Fus. Ils l'avaient saisi en le brusquant, ce qu'il fallait. L'un avait dit, presque en souriant : « On va quand même pas avoir besoin de la tronçonneuse ! » Fus, à peine sorti, était tombé en syncope. Les deux avaient juré et foncé avec lui à l'intérieur. Une fois qu'ils avaient paré au plus pressé, ils m'avaient salement engueulé. Qu'est-ce qui m'avait pris de l'emmener moi-même ? Dans ce cas, il faut toujours appeler le 15. La leçon avait continué et ils m'avaient répété ce qu'ils m'avaient déjà dit. Le 15, le 15, le 15. Après, ça restait l'hôpital et je connaissais trop bien. L'attente, les gens en blouse qui passaient, sans rien dire, parfois un petit sourire crispé, à la cantonade. Je n'avais pas encore eu le temps de penser à quoi que ce soit. J'avais tout fait d'un seul et long réflexe. Un réflexe de vieux, poussif à ne plus en pouvoir, mais j'avais agi en père dont le fils était en danger. Je pourrais penser tout mon soûl à la suite, aux séquelles et à ce qui allait changer. Gillou n'avait cessé d'appeler, et je n'avais rien eu à lui dire. J'étais trop sonné pour lui raconter des craques. Il pleurait au téléphone. Moi aussi, je crois bien.

Je le voyais borgne, mon Fus. Je le voyais rester infirme. Comme on est tous un peu cons, j'avais pensé au foot et m'étais dit qu'il ne pourrait pas jouer le lendemain, comme s'il n'y avait rien eu de plus grave. Quand ils m'avaient annoncé qu'ils l'avaient placé en coma artificiel, je m'étais effondré et j'avais dégueulé tout ce que je pouvais. J'avais vomi debout, sans spasmes, d'un coup, en continuant de regarder le toubib. Ses lunettes dorées, son visage pas particulièrement inquiet, pas rassurant non plus, un visage de spécialiste qui ne se prononçait pas, qui en avait bien trop vu pour se risquer au moindre pronostic à ce stade, un visage d'étranger. On attendrait le lendemain pour en savoir plus. Les médecins m'avaient dit de rentrer, que je ne servais à rien et qu'il ne se passerait rien de la nuit. Je le savais, je ne croyais pas aux forces de l'esprit – en tout cas pas là, pas comme ça – et je n'avais, effectivement, aucun espoir d'apporter quoi que ce soit à mon fils, à qui je n'avais pas dit dix mots depuis des semaines, mais j'étais

110

trop schlasse pour rentrer, je me serais foutu dans le fossé. Alors j'étais resté dans ma voiture, sur la banquette arrière, comme Fus quelques heures avant. Je voyais les lumières en bas, là où ils l'avaient installé. J'avais surveillé pendant quelques instants les ombres chinoises derrière les vitres dépolies avant de plonger dans mon propre coma. C'était la moman qui m'avait réveillé. Je m'étais senti tout con d'avoir dormi autant. J'avais couru à l'hôpital comme s'il y avait quelque chose à rattraper. Fus était encore dans le coma et avait à peine dégonflé. C'était trop tôt. Il faut être patient à l'hôpital. Tout le reste de la journée avait été à l'avenant. On ne savait pas. Il y avait quelque chose qui ne leur plaisait pas, je le savais, pas besoin de me le dire. Gillou était arrivé avec le Jacky. Et sur le chemin, ils avaient pris Jérémy. Le Jacky m'avait bien demandé ce qui s'était passé, comment Fus avait pu se faire arranger comme ça, mais je n'en savais rien. Gillou avait déjà dû lui dire. Il n'avait pas insisté. Après ces quelques mots, personne n'avait essayé de parler. De temps à autre, le Jacky, quand il arrivait à croiser notre regard, disait : « Ça va aller. » Un peu comme un mantra. Parfois il rajoutait : « Il est costaud, notre Fus. » Doucement, presque pour lui seul. Parler davantage ne servait à rien. On occupait les quatre sièges de la petite salle d'attente avant les deux grosses portes palières de la réanimation. Il n'y avait rien à faire, juste à regarder les affiches sur la prévention des hépatites qu'on avait dû chacun lire dix fois. Le Jacky respirait fort. Plusieurs fois, je lui avais proposé de rentrer. Il m'avait répondu : « T'es pas bien ? » Malgré tous nos efforts pour ne pas bouger, pour ne pas encombrer plus qu'il ne fallait, l'air était vicié. Et ceux qui passaient nous dévisageaient tant et tant. Des tas de pensées parasites avaient continué à m'occuper. J'avais pensé au train de Gillou et de Jérémy, pas qu'ils le loupent, j'avais fait le décompte dans ma tête. On était encore bien large, mais cela avait commencé à me travailler. Je ne savais pas s'ils avaient leurs affaires avec eux ou s'il fallait repasser à la maison. Je n'avais pas osé leur demander, pas qu'ils me prennent pour un taré. De n'avoir que ça comme souci. De n'avoir rien de mieux à penser avec un fils dans le coma. On était toujours dans le petit réduit quand les gendarmes étaient arrivés. Ils nous avaient demandé si on était de la famille de Frédéric Schmaltz… et ils avaient massacré le reste de notre nom de famille, pourtant c'est un nom bien lorrain. J'avais dit : « Oui, je suis son père. – Alors, qu'ils m'avaient répondu, nous allons avoir quelques questions à vous poser. » Je ne savais pas qui les avait prévenus, l'hôpital sans doute. Ils voulaient savoir qui l'avait amoché de la sorte, et le fait que je l'aie retrouvé comme ça ne validait rien de mon innocence à leurs yeux. Ils m'avaient demandé ce que j'avais fait le matin, avant d'aller à Metz. Ce qui ne leur plaisait pas, c'était que j'aie emmené moi-même Fus à l'hôpital. « Je n'allais pas le laisser perdre tout son sang sans rien faire ! que je leur avais dit. – Justement, monsieur, il y a des services prévus, en principe on appelle le 15. » Le maudit 15. Je n'en avais pas un bon souvenir du 15. Une fois pour la moman, on l'avait attendu longtemps le 15. Mais comment leur faire comprendre tout ça ? Pouvaient-ils juste comprendre que je n'avais pas réfléchi plus d'une seconde ? « C'est qui alors ? » qu'ils avaient fini par me demander. Et je n'en savais rien. Je n'y avais pas réfléchi un seul instant depuis que j'avais découvert Fus.

Fus avait fini par sortir de l'hôpital quatre jours après son admission. Personne ne voulait se prononcer pour son œil. Il avait perdu les trois quarts de son potentiel. Rien ne disait que ça ne s'améliorerait pas, mais ça pouvait aussi très bien rester comme c'était. L'œil bougeait à peine. Il ne ressemblait pas à un œil, plutôt à quelque chose de mort. Un oiseau mazouté. Son bras gauche était bien amoché aussi. Là encore, l'infirmité qu'il avait à le lever et à le bouger pouvait fort bien n'être que temporaire, mais les médecins n'avaient pas voulu lui peindre la vie plus belle qu'elle n'était. Fus avait été entendu par les gendarmes et, d'abord, il avait dit qu'il ne savait pas. Comme c'était juste impossible qu'il ne sache rien, qu'il ne puisse rien dire, ils avaient insisté. Puis il avait lâché : « J'étais avec ma copine. Ils ne peuvent pas nous saquer. On avait déjà eu des embrouilles avec eux. Des antifas. Je ne saurais pas dire exactement d'où ils viennent, mais je pense qu'ils sont de Villerupt. Ils étaient pas mal quand ils nous sont tombés dessus. » Si on parlait bien des mêmes, il s'agissait de gars que je connaissais de loin, des gars trop extrémistes pour militer avec nous, mais avec qui j'avais partagé quelques combats. C'étaient des gars qui avaient plutôt mal vécu les dix dernières années. Rien ne trouvait plus grâce à leurs yeux, ni les écolos, ni les socialos et pas même le PCF. Ils n'étaient pas anars pour autant, ni Lutte ouvrière, juste des gens qui butinaient sur quelques causes, plutôt locales, souvent fourrés avec les Allemands ou les Luxos. Un drôle de mélange. Sans agenda. Ils se voyaient de temps à autre pour un concert ou pour aller foutre le bordel en marge d'une manifestation. Ça ne pouvait être qu'eux. Ce n'étaient pas les gars de la section, ni du syndicat. Les gendarmes avaient poussé Fus à porter plainte. Et à chaque fois, ils m'avaient demandé d'achever de le convaincre. Il aurait fallu pour ça que les choses soient bien remises. Et elles ne l'étaient pas.

Il y avait tant à reprendre et dans tous les sens. Depuis que Fus était rentré à la maison, je n'avais pas eu le temps de réfléchir. Je m'étais contenté de parer au plus pressé, m'assurer qu'il avait bien tous les médicaments requis, que l'infirmière – et cela ne pouvait pas être n'importe quelle infirmière, j'avais mis un temps fou à la dégoter – venait bien soigner son œil chaque jour. Selon les médecins, son crâne avait salement morflé, et on n'était pas à l'abri qu'un contrecoup se déclare plus tard, donc je surveillais la moindre de ses réactions. Comment il parlait, comment il marchait.

Comment il mangeait. Et d'ailleurs il mangeait drôlement, il bavait un peu, sa déglutition était un peu pénible, mais c'était difficile de dire si c'était son bras qui le faisait tenir tout bancal ou un problème plus grave. Je m'étais fâché quand Gillou avait voulu rester. Je n'avais pas envie qu'il paie les conneries de son frère. Je crois qu'il ne m'avait pas compris et que je lui avais fait peur quand je lui avais dit : « Bon Dieu Gillou, ne te mêle pas de ça, tu as ta vie ! Ne va pas la gâcher avec ces histoires. » Il m'avait dit : « C'est quand même mon frère », mais ça ne m'avait pas paru suffisant. Depuis l'hôpital, j'étais focalisé sur le minimum vital, là où il n'y avait pas de question à se poser. Juste soigner. Je ne me voyais pas sortir de ce rôle qui m'allait bien. Où il n'y avait pas à se demander toutes les cinq minutes si cela faisait de la peine de voir son fils ainsi amoché, s'il n'était pas temps d'arrêter toutes nos conneries devant l'ampleur du drame. Je n'en étais pas encore là. Et m'occuper de lui, comme si je m'étais occupé d'un animal estropié, me procurait toute la contenance dont j'avais besoin. Aucune rage qu'on m'ait abîmé mon fils, aucun désir de retrouver les gars et de leur faire la peau, je me fiais pour ça à la gendarmerie. Tout le lotissement avait débarqué chez nous, y compris ceux qu'on ne voyait pas d'habitude, qui ne seraient pas venus s'ils n'avaient constaté le défilé devant la maison. Il y avait un côté champêtre à cette procession et j'imagine que dans le temps, quand un gars cassait sa pipe, qu'il se faisait arracher le bras par une machine, cela se passait ainsi. Tous, le Jacky le premier, me poussaient pour qu'on retrouve ces salopards. Et mon peu d'intérêt pour la question n'avait rien à voir avec mes convictions, je me fichais pas mal que ces mecs aient des ennuis avec la justice. Je n'avais aucune sympathie particulière pour eux. Mais j'avais du mal à me dire que Fus n'y était pour rien. Donc m'occuper uniquement de sa santé, oublier tout le reste me semblait un compromis honnête. Je retrouvais avec Fus les mots de l'enfance, « Ça va ? », « Ça fait mal quand j'appuie ? », et il me répondait par bribes comme un fils malade et épuisé. Son copain Hugo était venu. C'était le seul de sa bande à s'être déplacé. « Je n'étais pas là, je ne sais pas vraiment ce qui s'est passé », s'était-il empressé de me dire, comme si je lui demandais quelque chose. Fus ne s'était pas plus éveillé avec Hugo qu'avec les autres visiteurs, il restait muet, presque demeuré, plus sensible au temps qu'il faisait – il grognait quand il pleuvait, gémissait quand la fin de journée s'annonçait mauvaise – qu'aux gens. Seul Gillou, quand il revenait le samedi, arrivait à le sortir un peu de sa léthargie, mais c'était presque rien au vu des efforts engagés. Gillou s'accrochait toutefois, et moi aussi, à ce presque rien.

Le tribunal était rempli. La presse avait bien joué son rôle. L'avocat n'avait pas réussi à dépayser le procès, c'était donc à Metz que ça se passait. Je connaissais le tribunal de l'extérieur, c'était sur notre chemin quand on rentrait du stade et qu'on allait manger un morceau place Saint-Jacques. Une imposante bâtisse, en pierre de Jaumont, qui offrait de beaux reflets en toute saison. C'était en été et à l'automne qu'elle rendait le mieux, mais là, en hiver, on avait déjà un beau jaune, presque acidulé. Les alentours restaient clairs. La place dégagée de ses voitures, prise par la neige, le

Saint-Quentin au loin. L'ambiance était fraîche, mais ça restait une belle journée. Je dormais dans un hôtel à proximité et pas trop cher, rien n'était vraiment jamais ni très loin ni très cher à Metz. À la réception, quand je leur avais dit que je leur prenais une chambre pour au moins une semaine, ils m'avaient demandé si je venais pour « le » procès. Oui, je venais pour le procès. Celui pour mon fils.

J'étais venu tôt. L'avocat m'avait dit qu'il m'aiderait, mais je ne l'avais pas vu. Il avait certainement mieux à faire. J'avais trouvé sans problème la salle des assises. On m'avait prévenu que la première audience ne servirait à rien, sauf à choisir les jurés. Au fur et à mesure qu'ils étaient tirés au sort par le président, je les jaugeais : du côté de Fus ou pas ? Les avocats, des deux côtés, étaient plus rapides que moi : certains jurés à peine appelés, leur qualité à peine énoncée, étaient récusés. Fus regardait le ping-pong et ne disait rien. Il avait mis sa veste bleue qui lui allait bien, il avait une chemise blanche propre, en tout cas c'est l'impression

qu'elle donnait. Ses cheveux coupés court, pas
trop. Je pense que l'avocat avait dû lui donner
des conseils, pas la peine qu'il ressemble à un
nazi. Là, il ressemblait à un étudiant qui recher-
chait son premier stage, comme j'en voyais tant
débarquer à la SNCF. Les deux gendarmes qui
l'encadraient n'avaient pas l'air méchants, je
pense qu'ils avaient l'habitude et qu'ils savaient
que ce n'était pas la peine d'en rajouter. Fus
faisait pitié, dans son box, tellement seul,
tellement amaigri et défait, une ombre dans
cette immense salle blonde. Il n'allait pas
bouger au fil des jours. Je ne l'avais pas vu
depuis plusieurs semaines, je n'avais pas pu.
La première visite en prison m'avait suffi. Au
parloir, j'étais resté muet. Lui aussi. J'aurais pu
lui dire l'immense honte que je vivais, qu'il nous
imposait, que je voulais l'oublier et faire comme
s'il n'avait jamais existé. Des nuits entières,
j'avais essayé de l'effacer de mes souvenirs,
mais il continuait à danser devant moi, joyeux,
torse nu, enlaçant son frère, sortant de notre
petite piscine en caoutchouc, ce petit rond de

125

deux mètres, tellement moche, qui les avait occupés des étés durant. Après je le voyais faire le mariole à table. Il catapultait le bouchon de la bouteille d'eau chez son frère. Les cris et les énervements qui suivaient, car ça trichait, car ça renversait de l'eau, le bouchon arrivait toujours là où il ne fallait pas. Il m'accompagnait à l'hôpital, je le voyais enfant sage, sportif appliqué qui se consolait dans mes bras à la fin d'un match perdu. J'essayais de tailler dans tout ça, de virer cet enfant perdu et de reformater mes souvenirs. Tant pis si je sacrifiais de beaux moments, tant pis si je devais perdre un peu des autres. Mais il était partout. Sans lui, que me restait-il ? Des souvenirs de jeunesse avec la moman, avant qu'il ne naisse ? Tellement flous qu'ils ne tenaient pas chaud au corps. Gillou tout seul ? Pas tant d'images que cela. J'avais beau me creuser, je n'en voyais pas de bien mémorables. Fus emplissait ma vie. Et il fallait maintenant qu'il disparaisse. Les sons, l'odeur de la prison m'accompagnaient à chaque heure. Là encore, dans cette salle, je le voyais dans son box et je l'imaginais le matin, se préparer tant bien que mal, chier devant les autres de la cellule, essayer de se faire présentable pour ce tribunal. Mais il puait certainement, la douche devait dater d'hier, peut-être d'il y a deux jours. Il me dégoûtait par sa condition d'incarcéré, de détenu, de taulard. Tous ces mots qui me faisaient horreur, qui sentaient le rance. Qu'il se soit enfui, j'aurais presque pu le supporter. Le savoir en cavale, ailleurs, pourquoi pas, j'aurais pris mon parti de ce qu'il avait fait. Ça n'aurait pas trop abîmé ce qu'on avait vécu ensemble, mais là, au chtar, je ne pouvais pas, il nous foutait de sa putain de prison partout, dans chaque heure de notre vie. Dans les premiers jours, le procès ne cessait de s'interrompre, comme s'il fallait roder le moteur. Je profitais de ces pauses pour sortir, pour redescendre vers la Moselle. Aller vers le temple protestant, voir la cour de récréation de Fabert. Il y avait peu de choses qui me tenaient encore debout. Me balader près de ce lycée plusieurs fois par jour en faisait partie. Tous ces jeunes qui eux aussi prenaient l'air. Certains faisaient de drôles de têtes, les contrôles du matin n'avaient peut-être pas marché comme ils voulaient. J'avais envie de leur dire. J'avais envie de leur dire que ce n'était pas très grave, pas grave du tout. Et quand bien même, au bout du bout, pour ceux qui n'auraient pas leur année, qui foireraient leur bac, ça restait O.K. Il n'y avait pas mort d'homme. Ils ne coucheraient pas en prison ce soir. Est-ce qu'on est toujours responsable de ce qui nous arrive ? Je ne me posais pas la question pour lui, mais pour moi. Je ne pensais pas mériter tout ça, mais peut-être que c'était une vue de l'esprit, peut-être que je méritais bel et bien tout ce qui m'arrivait et que je n'avais pas fait ce qu'il fallait.

Je me levais très tôt. Et à chaque fois, c'était la même chose : j'avais une minute de sursis, une seule, le temps d'émerger de mes rêves et de mes cauchemars et de refaire ma nuit. À peine avais-je compris que j'étais à l'hôtel, le procès me tombait sur le paletot. J'étais surpris de voir que mes nuits lui résistaient encore et n'étaient pas enflées par la journée. J'y vivais toujours des moments agréables, souvent farfelus, mais pas différents de ce que j'avais toujours rêvé. Même les cauchemars restaient supportables, pas pires qu'avant, ils parlaient de trains manqués, de courses sans fin. De peurs sans conséquence. Je marchais sur des crêtes, je pouvais tomber à n'importe quel moment, mais j'avançais sous le vent et finissais un moment par lâcher prise. Pas très grave. C'était même rassurant de savoir qu'il existait un territoire qui avait sa propre logique, un petit royaume libéré des saloperies de la vie. Peut-être que ça disait un peu ce qu'il y avait après, et si c'était ça, ma foi, ce n'était pas si mal.

Revenu au jour, je contemplais quelques minutes la chambre, où il n'y en avait que pour le procès : le costume sombre que j'aérais tant bien que mal pour qu'il me tienne les dix jours, aucun livre, j'étais bien incapable de lire quoi que ce soit, pas de musique non plus. Qu'au-rait-on pu écouter dans un pareil moment ? Juste mes vêtements de procès, un flacon de café soluble et des médicaments. Un peu de télé pour m'abrutir le soir. À la réception, ils m'avaient prêté une bouilloire et mes repas s'arrêtaient à des soupes-minute ou des nouilles chinoises. Parfois ils me montaient une salade ou un reste de gâteau. Des choses qui leur restaient du buffet et qui allaient s'abîmer de toute façon, si on ne les mangeait pas. Sur les conseils de mon avocat, j'avais réservé la chambre sous un autre nom. Peut-être me croyaient-ils du côté de la victime ? Peut-être s'en moquaient-ils ? Le procès faisait grand bruit, mais ça ne restait pour les gens qu'un fait divers. Qu'ils oublieraient d'ici quelques jours, s'ils ne l'avaient déjà fait. On n'était que quelques-uns à en être frappés jusqu'à la mort. Le mec que Fus avait tué, pour commencer, sa famille, et puis nous trois.

L'acte d'accusation était clair. Il s'agissait d'un assassinat. Le juge d'instruction avait retenu la préméditation et, malgré tous les efforts de l'avocat de Fus pour revenir là-dessus au cours de l'instruction, c'est sur ces chefs que le procès s'était engagé. Pour un homicide, la peine, c'était du dix, vingt ans maximum. Mais il aurait fallu pour ça que les deux se soient tombés dessus par hasard et qu'ils se soient mis sur la gueule jusqu'à ce que l'autre succombe sous les coups. Quand on surveillait le gars depuis plusieurs jours, quand on attendait le moment où il était seul pour débarquer avec

131

une putain de barre de fer, qu'on le frappait par-derrière, à plusieurs reprises, à lui en démonter la moitié du crâne, ça s'appelait un assassinat, et on parlait alors de perpétuité. En disant cela, on aurait pu me croire cynique. Il n'en était rien. Quand ils avaient lu l'acte, chaque phrase avait résonné au plus profond de mes os. On me l'aurait marqué au fer qu'il n'aurait pas été plus présent. J'en réentends chacun des mots, chacune des intonations, et puis ce silence, cet immense silence qui s'en était suivi, comme s'il avait pris tout le monde par surprise. Comme si chacun ignorait jusqu'à cette seconde pourquoi il était là. J'avais vite perdu le fil lors des premiers jours. Je ne voyais pas ce qu'on cherchait. Cette quête du détail, de la petite bête me semblait vaine et artificielle, chacun affairé à justifier son rôle et son salaire. Les médecins étaient les pires. Je n'en pouvais plus de leur prudence. Ils ne pouvaient pas certifier à coup sûr que la mort provenait des coups. Mon Dieu, que leur fallait-il ? Quand ils avaient projeté les photos du crâne du type, on voyait bien que

ce n'était pas normal, qu'on pouvait diffici-
lement continuer à vivre avec la moitié de la tête
qui ressemblait à un pamplemousse épluché.
Mais les pires, c'étaient ceux convoqués par
l'avocat de Fus, qui n'arrivaient pas à exprimer
ce que Fus avait morflé, qui n'arrivaient pas
à faire le lien entre la dégelée qu'il avait prise
et celle qu'il avait mise en retour plusieurs
semaines après. L'avocat de Fus avait beau se
démener, ils restaient vagues. De toute façon,
est-ce que ça excusait quoi que ce soit, je n'en
étais pas convaincu. « Il ne s'agit pas d'excuser,
mais de mettre en exergue le champ des circonstances atténuantes, m'avait expliqué l'avocat.
Lesquelles circonstances peuvent significati-
vement réduire la peine. » Je me fichais de la
peine qu'allait ramasser Fus, je n'en étais pas à
discuter le nombre des années de cabane. Il y en
aurait un paquet. Un sacré paquet, et je savais
que je serais crevé avant qu'il ne sorte un jour.
Il ne méritait pas mieux. Au soir du deuxième
jour, l'avocat avait tenu à me voir pour préparer
mon témoignage du lendemain. Dès le début,

il ne me sentait pas, je le savais. Je n'avais pas les bonnes réactions. Je ne l'avais pas suivi dans son combat pour rayer toute préméditation, je ne l'avais pas trop aidé à démontrer les séquelles de Fus, dire comment sa vie après son agression avait été vide de tout, comment cet énorme choc avait pu le détraquer suffisamment pour qu'il aille se venger. « Un père fait cela pour son fils », qu'il m'avait dit. Peut-être. Pour ma part, j'étais prêt à dire ce qui était, que Fus avait été, jusqu'à la fin de son adolescence, le plus adorable des enfants, un amour d'enfant comme on en souhaitait à tous les parents. J'étais prêt à dire qu'il m'accompagnait à l'hôpital sans jamais rechigner. J'étais prêt à dire ça, car c'était la vérité, la simple vérité. Mais quand l'avocat voulait que je parle de sa mère, dire combien son décès avait pu le fragiliser, je n'en savais rien, et c'était beaucoup demander de mettre la pauvre moman dans cette histoire. Je ne savais pas si elle était d'accord, la moman, de servir d'excuse à son fils assassin.

Depuis le début, j'avais appréhendé le

moment où j'allais être appelé et j'avais commencé à suer de partout. Et plus j'y pensais, plus ça dégoulinait. Affolé, j'avais cherché des mouchoirs, ou quoi que ce soit d'autre, mais je n'en avais pas. Ma chemise bleu clair s'était trempée en quelques secondes. J'avais beau faire, j'avais beau tirer ma veste dans tous les sens pour cacher les flaques noires de transpi-ration, j'avais beau me rencogner, on ne voyait plus que ça. Heureusement, il y avait encore un peu de temps avant que je doive me lever, et au bout d'un long effort, en bloquant ma respiration, en bloquant tout ce que je pouvais, en me fixant sur le premier assesseur, j'avais réussi à me calmer.

Je n'arrivais pas à regarder le président, je n'arrivais pas à regarder Fus. L'assesseur, cela restait une bonne jauge, je l'observais, je voyais comment il se contractait à tel ou tel énoncé, comment, parfois, il se relâchait dans son fauteuil. Il me semblait en ligne avec ce que j'avais en tête : pour moi, la justice, dure, mais impartiale, c'était ce gars, toujours rasé de frais – il devait se donner des coups de rabot à chaque interruption de séance, en tout cas, c'était sûr, à celle de midi – avec ses demi-lunes qu'il ne cessait d'ajuster. Il avait le regard posé sur la salle, sur la lecture des événements. Quand il regardait Fus, il le faisait bien, comme je l'aurais certainement fait si ce n'avait pas été mon fils. Parfois il balayait le jury, en réveillait certains de son regard de lieutenant, ou alors les calmait direct quand l'audience commençait à s'échauffer. Cet homme aurait pu travailler partout, du moment qu'il y avait des mecs pour l'observer et faire ce qu'il disait. Il aurait pu être dans l'armée – je l'aurais bien vu dans un sous-marin –, il aurait pu commander à des milliers de métallos, il avait le regard pour. Ça faisait longtemps que quelqu'un ne m'avait pas impressionné comme ça. À côté, les pontes de l'hôpital et même mon chef de dépôt, qui pourtant en ramenait, avec son mètre quatre-vingt-quinze et son immense clébard qui ne le quittait jamais, tous ces gars qui savaient encore trop bien nous fermer la schness, tous, autant qu'ils étaient, pouvaient encore en apprendre. Je me demandais s'il avait toujours ses parents, mon lieutenant, s'il leur arrivait parfois de venir voir œuvrer leur fils. Je le leur souhaitais, ils pouvaient en être rudement fiers. De l'autre côté du président, c'était une femme. Une belle rousse, dans sa quarantaine, qui semblait s'ennuyer comme jamais. Ça faisait tellement de temps que je ne regardais plus les femmes que je n'en retirais rien de plus. À mon avis, elle avait d'autres soucis en tête et n'attendait qu'une chose, que cette session se termine enfin. Mais après Fus il y avait encore une histoire de viol, les magistrats et les jurés en étaient encore de trois bonnes semaines. Quand elle revenait au procès, on voyait – et il ne fallait pas des heures pour s'en apercevoir – qu'elle n'aimait pas Fus, c'était gros comme un pavé sur la gueule d'un flic. Elle ne l'aimait vraiment pas. À la différence des deux autres, quand elle avait fini de réprimer la quantité inouïe de bâillements qui l'assaillaient, elle prenait souvent des notes, durant de longues séquences, la tête vraiment penchée sur ses papiers, avec une certaine agitation, comme si elle avait peur de manquer quelque chose, mais peut-être n'était-ce rien après tout, juste une façon d'échapper à son irrésistible envie de dormir.

En allant témoigner, j'allais être obligé de voir le Jacky, toujours installé trois rangs derrière moi, droit sur son banc. Il avait mis la cravate, le Jacky. Il avait dû prendre des congés. Je ne sais pas pourquoi il s'infligeait ça. On ne se voyait pas aux interruptions de séance, pas davantage le soir. Quand je sortais, il était déjà parti. Ça m'énervait de l'avoir ainsi sur le dos, je ne savais pas pour qui il roulait. Peut-être voulait-il s'assurer que je ne déconne pas de trop avec son Fus.

Quand ils m'avaient demandé de m'avancer à la barre, je ne savais plus comment marcher, je ne savais pas comment devait se comporter le père de l'assassin, ce qu'on pouvait «décemment» attendre de lui. J'avais bien pensé à me ratatiner encore plus que je ne l'étais. Montrer que je n'y étais pour rien, leur dire que mon fils était grand, majeur et vacciné, et qu'il avait agi seul, contre ma volonté. Leur dire bien fort que pas une fois je ne l'avais incité à aller se venger et que l'idée ne m'était même pas venue à l'esprit. Mon témoignage était un temps fort du procès, comme ils disaient au *Républicain Lorrain*. Il allait cristalliser pas mal de choses, l'avocat de Fus investissait beaucoup dessus. Et comme j'avais eu du mal à cracher les bonnes réponses, il m'avait lâché, il m'avait demandé pourquoi ce garçon avait été si souvent seul, pourquoi je l'avais abandonné si fréquemment à son sort. Il semblait en savoir tellement sur notre vie, il m'avait rappelé des choses que j'avais oubliées et les avait mises en perspective, dans une sale perspective qui me faisait passer pour un père négligent et abusif. Et plus il m'en avait mis dans le baquet, plus j'avais commencé à douter, à me dire qu'il y avait certainement une part de vrai dans tout cela. Il s'était en particulier acharné sur mon engagement politique. Sans le dire vraiment, mais en l'insinuant fortement, c'était comme si c'était moi qui l'avais mené tout droit dans les bras du FN. D'après lui, j'étais sinon le responsable, au moins l'amorce des événements. J'en étais ressorti démoli. Je m'étais précipité vers la sortie pour n'avoir à rencontrer personne. Une jeune femme m'avait arrêté avant que je ne fuie vers mon refuge, la Moselle. « C'est normal, ce qu'il a fait, m'avait-elle dit. C'est pour enlever un peu de charges à votre fils, tout bon avocat aurait procédé ainsi. » Elle avait un gros carnet bourré de notes sous le bras, certainement une étudiante en droit qui venait apprendre de la vraie vie. Je n'avais su quoi répondre. Avec ses insinuations, l'avocat m'avait détruit. Elle avait continué : « Vous, vous ne risquez rien. Vous n'irez pas en prison parce que vous avez laissé votre fils seul de temps à autre à la maison. En revanche, cela peut faire gagner plusieurs années à votre fils, cela valait le coup, non ? – Ce n'est pas vraiment comme cela que ça s'est passé, j'avais regimbé, j'ai toujours été avec mes enfants, autant que j'ai pu… – Peu importe ce que vous avez fait ou pas fait, elle m'avait coupé, l'important c'est l'histoire que les jurés vont avoir dans la tête quand ils devront décider. L'important, c'est de leur faire rentrer suffisamment de coins dans leur vision première, celle qui conduit inexorablement aux trente ans de réclusion. C'est d'être capable de fissurer leurs a priori, d'amorcer le doute dans leur réflexion. Beaucoup de doute. Plus ils vont douter, plus ils vont suer, et ça, monsieur, croyez-moi, c'est bon. Ça fait chuter les peines. Quand on doute, il faut vraiment être un sacré salaud pour condamner quelqu'un à trente ans de prison. Cela arrive, malheureusement, mais c'est rare. » Le lendemain, cela avait été le tour au Jacky et à d'autres qui avaient côtoyé Fus au club de football. L'avocat de Fus pouvait en être satisfait. Fus en ressortait comme quelqu'un de taiseux, d'attachant. Quelqu'un de serviable, maître de ses émotions. Ils avaient tous l'air profondément pénétrés de ce qu'ils disaient. Mais le plus beau, le plus fort, ç'avait été le Jacky qui l'avait dit :

« Je sais bien que ça peut sembler incroyable, là
où on en est rendus aujourd'hui, mais le Fus – il
avait eu un mal de chien à l'appeler Frédéric
et s'était fait reprendre à plusieurs reprises par
le président – c'est le fils que j'aurais toujours
voulu avoir. Et ma femme, qui est dans la salle,
pourrait exactement vous dire la même chose.
Je ne sais pas ce que vous allez décider, ça ne
me regarde pas, mais notre Fus, je ne peux
pas m'empêcher de penser que c'est un bon
gosse qui n'a jamais été trop verni. » Cela avait
bruissé dans la salle. Quand il avait dit cela, le
Jacky s'était retourné vers moi, comme pour me
dire : « Tu vois, mon salaud, c'est comme cela
qu'on défend son fils. » Bien entendu, il s'était
fait contrarier par la partie civile, au motif que
Fus fréquentait un groupe d'extrême droite, que
la mort n'était pas survenue juste comme ça,
qu'il y avait quand même eu plusieurs coups
de barre, tout ce qu'on savait déjà. Le Jacky en
était resté à ce qu'il avait à dire : « Tout cela,
c'est peut-être vrai, je ne veux pas vous dire
ce qui n'est pas, je vous dis simplement que

notre Fus, enfin Frédéric, c'est un bon gamin qui ne mérite pas ça. »

Le lendemain, j'avais découvert Krystyna, la petite amie de Fus. C'était une drôle de fille. Elle avait choisi de venir tout habillée de noir. Elle portait un chemisier de crêpe, d'un autre âge. À l'amorce des manches et du col, on devinait des tatouages. Beaucoup de tatouages. Pour autant, avec ses lunettes et sa queue-de-cheval, elle avait un air d'élève sage. Ça me faisait tout drôle de découvrir enfin cette fille. Je n'avais pu m'empêcher de la regarder comme un père observe sa future bru le premier jour. Je l'avais consciencieusement détaillée et je m'étais demandé à plusieurs reprises si elle me plaisait, si je la voyais avec mon Fus, comme si tout ça avait le moindre sens à cette heure. Comme s'ils avaient la moindre chance de vivre un jour ensemble. Elle était issue d'une famille de polaques qui s'était installée en Moselle entre les deux guerres. Elle militait au FN depuis ses quatorze ans, « comme papa ». C'était toujours fascinant de voir comment des gens pouvaient se sentir aussi vite partie prenante d'une histoire, plus français que les Français, encore gorgés de bondieu-series et de traditions de leur coin d'origine, et, avec la même ardeur et la même obstination, comment ils refusaient un pareil droit à tous ceux qui arrivaient après eux. Krystyna avait raconté dans le détail la rencontre avec Fus, elle avait expliqué en quoi il ne ressemblait pas aux autres de la bande, plus calme, tout simplement plus gentil, « galant » avec les filles. Cela avait fait réagir le président. Elle avait dû confirmer : « Oui, galant, monsieur le président. C'est bien de cela qu'il s'agit. Frédéric avait des prévenances que les autres n'avaient pas. Il était beaucoup moins macho qu'eux. » Elle avait d'ailleurs expliqué que Fus se faisait pas mal charrier et que certains le regardaient un peu comme une chochotte. Le jour où il s'était fait agresser, elle était avec lui. Ils n'étaient que tous les deux, mais, oui, on ne pouvait pas les manquer, elle avait des tracts de Marine plein les mains. Les gars s'étaient approchés à quatre ou cinq, elle ne s'en souvenait plus, ils lui avaient arraché le matos des mains. Fus avait fait un pas pour s'interposer et s'était pris la dégelée. Cela avait été vite. À peine avait-elle hurlé, qu'ils avaient déjà disparu. Ils avaient peu parlé dans les semaines après, parce que Fus ne s'exprimait presque plus. À ce moment de l'exposé, Krystyna s'était tournée vers Fus. Elle s'était arrêtée quelques instants pour le regarder et lui sourire. Fus avait aussitôt plongé la tête. Puis elle avait continué à destination des jurés : elle s'était employée à convaincre les autres du groupe qu'il fallait faire quelque chose, qu'ils devaient répliquer. Aller les tabasser à leur tour. Elle en reconnaissait au moins un et savait où il zonait. Celui au visage grêlé. Celui qui allait mourir quelques semaines après sous les coups de Fus. Mais, dans l'immédiat, le groupe s'était gentiment défilé. Ils s'en remettaient aux gros bras de Marine, à Thionville, à qui ils en parleraient. En attendant, il était urgent de ne rien faire. Elle les avait engueulés, puis était venue pleurer chez nous. Elle avait dit à Fus que ces salauds pouvaient dormir sur leurs deux oreilles, que personne dans l'équipe n'était décidé à le venger. Fus avait juste dit : « Laisse. » Elle pouvait jurer que cela avait été sa seule phrase de l'après-midi. « Laisse. » Et que donc elle ne comprenait pas comment Fus avait pu faire ça. Ce qui avait pu le décider. Que c'était la faute des autres. Que l'affaire aurait pu se régler entre mecs comme ils savaient parfois le faire et qu'on en serait restés à quelques vilains coups, groupe contre groupe, mais rien de plus. Oui, elle en voulait à sa bande d'avoir laissé Fus se venger tout seul. Que c'était normal que ça ait dégénéré. Elle s'était fait de nouveau reprendre sur cette phrase, mais l'idée était là, tout le monde dans la salle avait bien compris.

Cela n'avait pas empêché, deux jours après, que la sentence soit particulièrement lourde. Vingt-cinq ans. Il y avait eu quelques applaudissements dans la salle. Pas beaucoup, mais assez pour que ça me dégoûte encore plus. Fus était resté inerte pendant toute la lecture du jugement. Il n'avait même pas sursauté à l'annonce des vingt-cinq ans. Krystyna, elle, avait poussé un hurlement de rage et de douleur. Ça m'avait fait tout drôle, moi qui n'avais pas bronché et n'avais même pas regardé Fus. L'avocat était venu me voir : « Il faut faire appel. Votre fils n'a bénéficié d'aucune circonstance atténuante. Vingt-cinq ans, c'est bien trop cher payé. » Je n'avais pas su quoi lui répondre, je ne savais pas ce que ça coûtait de tuer un homme. Ce soir-là, j'avais calculé la date de sortie de mon fils, janvier 2045. Elle semblait irréelle et pourtant c'est bien ce qui avait été prononcé et enregistré. Il faut croire qu'elle ne faisait pas peur à tout le monde. Je n'étais pas pressé de retrouver notre coin. J'avais loué la chambre pour la nuit et je m'étais couché en leur disant bien de ne pas venir toquer à la porte pour m'apporter quoi que ce soit. Puis, sur le coup des deux heures, je m'étais dit que ça n'avait pas de sens de m'abriter ainsi. J'avais pris mes affaires. En bas à la réception, il n'y avait que le portier de nuit. Il m'avait laissé sortir sans un mot. J'imagine qu'il avait regardé sur son registre, que tout était payé alors je pouvais bien faire ce que je voulais. Sur la route, la possibilité d'aller me foutre dans le fossé s'était présentée, mais je n'y avais pas assez cru. Je m'étais contenté de rouler très vite, de téter tant et plus la bouteille de mauvais whisky que j'avais achetée dans une station-service – « On n'a pas le droit de vendre ça à cette heure », qu'il m'avait dit, mais je lui avais tendu les billets et il s'était couché – et avais laissé le sort décider pour moi. Jérémy et Gillou m'attendaient à la maison. Eux, ils ne s'étaient pas couchés. Jérémy s'était occupé de Gillou, il l'avait fait boire lui aussi, « pour qu'il ne fasse pas de connerie ».

J'avais rapidement compris que me saouler des journées entières ne me mènerait nulle part. Je l'avais déjà fait après le décès de la moman et j'en étais sorti. Pas envie de replonger là-dedans. Je n'étais pas pour autant apte au service, et le médecin de la SNCF l'avait bien compris. Il m'avait tout de suite prévenu : « On ne peut pas vous remettre là-haut. Il va falloir attendre un peu. » Je n'avais pas voulu le contredire. Moi aussi, me balader en haut des caténaires me semblait bien hasardeux avec les idées qui me traversaient l'esprit : je n'arrivais à me concentrer sur rien, et surtout pas sur la moindre consigne de sécurité. Je ne me voyais aucun avenir, et encore moins celui de me griller les bras en faisant une mauvaise manip. Le médecin avait été soulagé de me sentir d'accord, j'avais des collègues qui râlaient quand ils perdaient leur statut de monteur de câbles, car il y avait les primes d'astreinte et de risque qui allaient avec. Pour être franc, je ne me voyais pas davantage travailler au sol. Et ça, le médecin l'avait bien vu aussi : « On va vous laisser un peu chez vous, histoire de ne pas trop vous désocialiser », qu'il m'avait dit. Je l'avais rassuré et remercié pour les quelques semaines octroyées. C'était un gars sévère, qui n'avait pas la réputation de faire des cadeaux, plutôt une peau de vache quand j'écoutais les collègues, ça rendait sa décision encore plus indiscutable. Pas de risque que mes chefs m'envoient des contrôles pour voir si je n'en profitais pas, du moment que ça venait de lui. D'ailleurs, je pouvais sortir autant que je voulais, « c'était même recommandé pour ce que j'avais ». Le soulagement passé de ne pas avoir à retourner de sitôt au taf, la décision du toubib, qu'il avait prise si rapidement, avait fini de me convaincre que j'étais bien amoché.

En d'autres temps, j'aurais profité de ces semaines gratis pour me lancer dans deux, trois travaux à la maison, mais là, ce n'était pas possible. Il y avait la chambre de Fus qui me hantait et qui empêchait quoi que ce soit. Je ne savais pas quoi en faire. La vider complètement. Ou la murer. J'étais passé plusieurs fois devant sans pouvoir y entrer. La porte était entrebâillée. On distinguait un peu de tout au bas du lit. Des pansements et des compresses qui traînaient de sa dernière nuit passée à la maison. Des bouteilles de désinfectant. S'il avait été mort, j'aurais certainement été me jeter sur son lit. Renifler une dernière fois son odeur. M'installer et regarder de son lit, sa chambre, ses coupes de football. Observer longtemps les livres qu'il avait conservés. Des collections qu'il ne lisait plus depuis belle lurette, mais qui restaient bien rangées sur son étagère. Des livres qui avaient résisté au temps, qui n'avaient rien su de ce qui s'était passé. Mais il pourrissait en prison, ce n'était pas la même chose. Gillou, quand il était rentré, n'avait pas eu ce dégoût. Il avait passé du temps dans la chambre de son frère. D'abord immobile, à scruter chaque objet. Puis, il l'avait nettoyée, comme si Fus allait rentrer demain. Il m'avait fait le tri dans ses affaires : « Ça, il ne le met plus, on peut peut-être le donner. » Et comme je ne disais rien, il avait plié les vêtements trop petits, consciencieusement, les mettant dans de grands sacs de toile. « Tu les donneras au Secours populaire. » Il aurait fallu pour ça que j'aie le courage d'y aller. Je savais bien qu'ils accepteraient volontiers toutes ces affaires et qu'ils n'en demanderaient pas l'origine, mais ça ne me décidait pas pour autant. Tout m'était insurmontable. Je portais sur le visage la détention de mon fils. L'avocat n'avait cessé de m'appeler immédiatement après le procès. Il s'était d'abord contenté de messages courts, « Rappelez-moi s'il vous plaît » puis, comme je ne répondais à aucun de ses appels, il s'était épanché. Une longue supplique où il me disait que ce n'était pas son intérêt financier de faire le forcing et de repasser du temps sur ce dossier – il m'avait rappelé dans son message haletant, énervé, que ses émoluments rentraient strictement dans le cadre de l'aide que nous avions touchée et que ce n'était donc pas avec ça qu'il allait gagner le moindre argent –, mais que ce n'était pas la question, qu'il fallait y aller. Il l'avait redit plusieurs fois. Sur tous les tons possibles : « Une simple question de justice. » Il avait rajouté qu'il me revenait de convaincre mon fils et qu'on n'avait pas l'éternité pour le faire. Je n'en avais pas envie. Pas plus que je n'avais envie de le visiter en prison.

C'est Gillou et Jérémy qui s'étaient chargés de convaincre Fus de demander l'appel. Ces deux-là me comprenaient et ne m'en voulaient pas. Ils se débrouillaient seuls. Je crois que le Jacky les avait accompagnés une fois ou deux. Peut-être que j'aurais fait pareil, si ç'avait été le fils du Jacky. Peut-être que c'était plus simple quand ce n'était pas son fils, qu'on pouvait montrer sa grandeur d'âme, qu'on ne se sentait pas taché par la prison. Oui, peut-être que j'aurais aimé moi aussi être un visiteur. On gardait le cul au sec. Mais là, c'était mon fils. Tout ce qui lui arrivait m'arrivait. Et, pour cette raison, j'avais choisi de prendre mes distances. Je n'étais pas de force, et je rendrai toujours grâce à Gillou et à Jérémy de ne m'avoir jamais fait le moindre reproche et de ne m'avoir jamais forcé à rien. Ils m'avaient proposé de m'installer pendant un temps à Paris. Ils se seraient relayés pour me loger chez eux. L'appart de Jérémy était assez grand, on pouvait y vivre à deux pendant un petit moment sans se marcher dessus. Je n'avais pas voulu. Paris devait rester ce sanctuaire, suffisamment étanche, étranger à tout ce qui nous était arrivé. Personne n'avait entendu parler du procès à Paris, et c'était bien comme ça. Au contraire, j'aurais préféré que mes deux garçons restent là-bas, qu'ils ne guettent pas chacun des parloirs, mais c'était trop leur demander. Ils se précipitaient à la prison dès qu'ils pouvaient. Gillou ne m'en racontait rien. Jérémy était plus disert. Il m'avait demandé si je souhaitais avoir des nouvelles de Fus. Comme je n'avais pas répondu, il avait commencé à me raconter. Doucement, avec beaucoup de précautions. On avait vécu ainsi plusieurs semaines où tout souvenir du temps d'avant était banni, où chaque mot était pesé. Je faisais semblant de m'inquiéter de leurs études, mais au fond de moi, je savais bien que cela aussi était cassé. Que plus rien, non, plus rien de ce qui pouvait arriver ne pourrait m'apporter la moindre fierté ni la moindre satisfaction. Et Gillou, malgré tout ce qu'il pourrait faire, n'y pouvait rien, c'était comme ça. Fus avait tout disqualifié et, quand bien même Gillou serait rentré dans les meilleures des écoles, c'était mort. Jérémy aussi se retrouvait embarqué là-dedans. Je lui avais dit à Jérémy : « Toi, tu peux encore te barrer. Abandonne-nous, personne ne t'en voudra. Laisse-nous, tu n'as rien à y gagner. T'es comme mon fils, t'es mon fils, mais lui, ce n'est pas ton frère, juste un mec que tu as connu plus jeune et que tu avais d'ailleurs perdu de vue pendant des années, alors ne le laisse pas te pourrir le restant de ta vie, écarte-toi de lui, il est toxique. » Je lui avais dit tout ça à Jérémy, mais il était resté. Il m'avait souri, un peu connement, un sourire de mec déjà contaminé, qui avait déjà accepté qu'il n'y ait plus rien d'autre à faire. Rien n'allait plus jamais rivaliser avec ce qui avait été commis. Les dégâts étaient immenses pour Gillou. Pour commencer, il allait payer en fin d'année ses nuits sans sommeil et les cours séchés pour cause de parloirs, dont les dates ne cessaient de changer, des horaires qui ne rimaient à rien, fichés en plein milieu de semaine et annulés au dernier moment. Mais s'il n'y avait que ses examens de fin d'année! Je ne sais comment Gillou entrevoyait désormais sa vie, ce frère qu'il faudrait aller visiter régulièrement et qui ne lui laisserait aucune cesse. À quel moment, quand on rencontrait une fille, on lui avouait que son frère était en taule pour des années et des années? Qu'est-ce qu'on expliquait à la fille, quand elle voulait en connaître la raison? Voilà ce qui attendait Gillou, une vie de merde qui n'en finirait pas de tourner autour d'un seul axe, le centre pénitentiaire du frangin. Et s'il s'aventurait à l'oublier, à partir loin, à l'étranger peut-être, pour ne plus être de corvée de prison chaque mois, alors un foutu remords le prendrait à la gorge et ne le lâcherait pas. Je m'en sortais presque mieux dans un sens. Il me restait moins à vivre et j'en avais pris mon parti. J'avais accepté d'être un père indigne qui ne mettrait plus les pieds en prison et je me fichais de la réprobation du Jacky ou de la moman là-dessus.

Quand les gendarmes étaient venus toquer à ma porte quelques semaines après, j'étais devant la télé et, en voyant le gyrophare qui illuminait tout le quartier et qui ricochait sur les murs, j'avais tout de suite pensé qu'il s'était passé quelque chose à la prison. Que Fus s'était fait frapper. Et que cette fois il ne s'en était pas sorti. Pendant une seconde, je n'avais pas su si j'en étais soulagé ou pas. Mais ils n'étaient pas venus pour ça. Ils m'annonçaient que l'enquête se rouvrait. J'étais allé m'effondrer dans le canapé. Il y avait le Tour à la télé. Une échappée qui irait peut-être au bout. J'entendais la joie des commentateurs, j'entendais ce monde qui continuait de vivre. Mon fils était encore vivant et, soudainement, sans que je sache pourquoi, j'en avais été à nouveau heureux. D'un bonheur que je n'avais pas connu depuis des années. Un bonheur qui m'avait tenu toute la soirée. Je m'étais installé dans sa chambre, j'avais respiré ses draps et je m'étais endormi en pensant à lui, en priant pour qu'il dorme bien, qu'il entende un peu, comme moi, la rumeur de la nuit. Cette fois, le visage de Fus enfant s'était mêlé à celui du Fus prisonnier. C'était mon fils qui dormait sur ce mauvais lit, qui profitait de quelques heures de calme avant que les bruits d'écrou ne recommencent. C'était mon fils qui s'était doucement réconcilié.

Le lendemain, j'étais allé au stade. Bien avant que les gars n'arrivent. Je m'étais installé à ma place. Le terrain avait morflé avec la chaleur. C'était la toute fin de saison, peut-être le dernier entraînement avant la trêve, je ne savais plus trop. Les joueurs étaient arrivés un par un. Plus ou moins réveillés, plus ou moins frais. Mis à part deux ou trois nouveaux que je ne connaissais pas, ils étaient venus un par un me saluer, check poing serré, main sur le cœur, comme ils avaient tous pris l'habitude de le faire. Sans parler. Machinalement. Pas besoin de dire quoi que ce soit. Ça valait mieux d'ailleurs. Ils savaient qui j'étais, là où on en était rendus. Un seul avait pris des nouvelles de Fus, savoir s'il tenait le coup. « Je crois », j'avais dit. « Allez. Ça ira », qu'il avait répondu, avant de filer au centre du terrain. La séance s'était bien déroulée, elle sentait déjà le repos, les gars y avaient été mollo, pas se blesser avant les vacances. Je les avais laissés repartir. J'avais alors ramassé un peu de pelouse, là où elle était encore à peu près belle. J'en avais rempli un petit Tupperware, puis j'étais allé appeler l'avocat de Fus. Il était content de la tournure des choses et des nouveaux éléments qu'il avait ramassés – je pense qu'il était content de me savoir un peu plus motivé – et m'avait recommandé de me rapprocher de la petite amie de Fus, afin de nous coordonner. Je n'avais pas compris l'intérêt, mais il avait insisté : « C'est mieux, croyez-moi, ce sera plus fort si tout le monde parle de la même voix. » Quand je suis arrivé devant la maison de Krystyna, je n'étais plus sûr de moi. C'était le père qui m'avait ouvert. Il était venu au procès, le jour où sa fille témoignait. Je ne savais pas ce qu'il pensait de tout ça, s'il nous souhaitait au diable, moi et mon fils. C'était quelque chose de militer pour Le Pen, une autre de voir sa fille embringuée avec un gars qui allait passer la moitié de son existence en prison. Il avait été surpris, mais m'avait fait entrer. Son pavillon était à peu près fichu comme le nôtre, un peu plus petit peut-être. Les mêmes meubles. Les mêmes choses au mur. Des photos de famille sur le buffet. On y reconnaissait Krystyna accompagnée sur toutes les photos d'enfance par une fille plus grande – sa sœur? – qui disparaissait des plus récentes. Le père m'avait fait asseoir à la table de la salle à manger, leur petit salon était rempli de paniers de linge à repasser et d'affaires posées sur les dossiers des deux fauteuils. Le fer était encore branché. Il m'avait dit en souriant: «C'est moi qui repasse dans cette maison. Pardonnez le dérangement.» Je ne cessais de regarder les photos de Krystyna. Une fille sans histoire. Pas très expressive. Pas spécialement belle. Pas laide non plus. Une fois qu'il avait été chercher de quoi m'offrir à boire, et qu'il m'avait laissé tout mon soûl pour détailler ce qu'il y avait à détailler dans sa salle à manger, il s'était mis à soupirer. Pas méchamment du tout, juste embêté de n'avoir rien à me dire. Ou de ne pas savoir par où commencer. Il avait fini par se lancer : « La mère de Krystyna est partie l'année dernière. Ne me demandez pas où. Certainement pour suivre notre fille aînée, mais je n'en suis pas sûr. On n'a aucune nouvelle, ni de l'une, ni de l'autre. » Il avait continué de me raconter leur existence : la sœur était partie il y a trois ans, cela n'avait jamais très bien collé entre eux. Les histoires de politique n'avaient rien arrangé, mais il fallait être honnête, ce n'était pas pour ça qu'elle s'était barrée. Et c'était la même chose pour la mère. Bien sûr, elle leur en avait voulu à Krystyna et à lui d'être mouillés avec ce gars – « enfin, je veux dire, avec votre fils », qu'il s'était excusé – mais, si elle était partie, c'était simplement que les choses n'allaient plus très bien. « Je me fais de la bile pour Krystyna, qu'il m'avait dit. J'en dors plus. Je ne sais pas où ça va nous mener tout cela. Elle l'aime votre fils. Mais on est d'accord, hein, que c'est pas une solution? Elle est encore toute jeune ma fille. » J'étais d'accord avec lui. Je ne pouvais souhaiter à quiconque de gâcher ainsi sa vie. D'attendre la libération d'un gamin qui allait être démoli par des années de prison, qui n'aurait aucun métier, aucune situation à la sortie. Certainement imbibé de médicaments. Bousillé par la violence de la taule. Je ne pouvais souhaiter à personne de devoir enchaîner des trajets sans fin pour aller le voir – là, il était encore à Metz-Queuleu, mais il serait où demain? –, de devoir lui écrire, de devoir penser à lui, éventuellement de devoir lui être fidèle. Un tel sacerdoce ne devait être réservé qu'à ceux qui ne pouvaient faire autrement. À qui on n'offrait aucun autre choix. La plus stricte intimité. J'y mettais Gillou, malheureusement pour lui. J'y mettais Jérémy, car je savais qu'il pourrait y survivre. J'y mettais le Jacky, car il était têtu comme une bourrique et que

lui aussi saurait quand même continuer à vivre.
Je m'y mettais moi, maintenant. Mais, j'étais
d'accord avec le père de Krystyna, cette pauvre
fille n'avait rien à faire dans le lot. Je lui avais
dit comme cela au père. Ça avait eu l'air de
le rassurer. Je lui avais dit aussi que je n'avais
aucune idée de comment y arriver. Qu'il devait
mieux savoir que moi comment convaincre sa
fille. Il m'avait longuement regardé, totalement
désarmé. Il m'avait resservi un gorgeon. Il s'était
remis à soupirer en regardant ses mains. Putain,
il était où le militant facho sûr de son fait ?
Je ne voyais qu'un pauvre type, comme moi,
tout aussi décontenancé. « On est bien rendus,
hein, avec leurs conneries », qu'il m'avait dit.
Et les conneries, dans sa bouche – je ne crois
pas me tromper en le disant –, ce n'étaient
pas celles de nos enfants, surtout pas, c'était
quelque chose de bien plus haut, de plus
insaisissable, qui nous dépassait et dans les
grandes largeurs encore. À la limite, c'étaient
nos conneries à nous, tout ce qu'on avait fait et
peut-être, en premier lieu, tout ce qu'on n'avait

pas fait. L'avocat n'était pas trop d'accord avec notre façon de voir les choses, il avait besoin de Krystyna, il avait besoin d'elle motivée. Au moins aussi convaincante que lors du premier procès.

Il se démenait, l'avocat. Moi aussi, désormais. J'avais finalement compris que la vie de Fus avait basculé sur un rien. Que toutes nos vies, malgré leur incroyable linéarité de façade, n'étaient qu'accidents, hasards, croisements et rendez-vous manqués. Nos vies étaient remplies de cette foultitude de riens, qui selon leur agencement nous feraient rois du monde ou taulards. « J'ai été là au bon moment », voilà ce que bien des gens comblés pouvaient confesser. J'avais été là au bon moment quand j'avais rencontré la moman. Elle serait arrivée quelques minutes plus tard à la maison des jeunes, on ne se serait pas connus. On n'était pas du même coin, il n'y avait aucune raison qu'on se voie un jour. On serait partis sur deux trajectoires, on aurait multiplié les riens, on aurait eu d'autres enfants, cela aurait été différent. Fus, lui, avait été là au mauvais moment. Quand il avait croisé la bande. Le reste s'était enclenché. Au mauvais moment quand il était retourné agresser le gars. Si on refaisait l'enchaînement des faits, il y avait des milliers de cas où cette journée ne se terminait pas aussi cruellement. Et si on voulait être juste, peut-être des centaines où elle se terminait quand même par la mort de ce gamin. Mais ça je ne comptais pas le dire au procès. Ce gamin s'appelait Julien. Ça m'avait pris du temps de lui redonner un prénom. Lorsqu'on s'appelait Julien, qu'on avait bénéficié d'un amour raisonnable de ses parents, qu'on n'avait connu ni misère ni guerre, comment terminait-on dans une bande, par quelle montée de violence – quand on s'appelait Julien – on terminait à terre, la tête fracassée dans le caniveau? Cela faisait partie du grand mystère des riens. J'avais écrit aux parents. Je ne savais pas si j'y étais autorisé. Je leur avais dit qu'il n'y avait pas un jour sans que je pense à nos deux fils. Je leur avais même dit que j'aurais préféré que ce soit le mien qui soit mort,

172

que pour moi, c'était la même chose, c'était évidemment profondément maladroit et idiot de dire ça, et si j'avais pu le penser ce n'était plus vrai. Mais je crois qu'ils avaient compris l'idée, car ils m'avaient répondu. Ils avaient commencé leur lettre en disant qu'ils avaient été choqués qu'il puisse y avoir un appel. Ils ne souhaitaient pas recommencer, ils n'en avaient plus le courage. Mais à peine avaient-ils dit cela qu'ils m'assuraient comprendre qu'on veuille se défendre. Ils priaient beaucoup, ça leur faisait du bien, je devrais essayer. Dans leur lettre, ils n'avaient jamais fait référence à Fus. Ils me parlaient à moi. Ils me pardonnaient. Ils avaient conclu sur une drôle de phrase, sur l'inutilité de la prison. Je ne savais pas s'ils allaient en reparler au procès.

Cette minute où tout avait déraillé aurait pu tout aussi bien ne pas être, ne jamais exister. Ça n'enlevait rien à la responsabilité fondamentale de Fus, mais cela le rendait moins seul, moins monstrueux. C'est sur ces bases que je menais mon travail. Par des connaissances, j'avais

retrouvé certains de la bande. Ce n'étaient pas
des enfants de chœur. Le premier contact avait
été rude. Heureusement, j'avais le Jacky et deux
autres gros bras de la section avec moi. Il avait
fallu dire tout de suite aux mecs qu'on n'était
pas là pour remuer la merde, mais que ce qui
aurait dû rester de la baston entre deux groupes
avait dégénéré. Ils m'avaient dit que leur pote
Julien avait été massacré de dos, à coups de
barre de fer par un facho. Qu'ils ne voyaient
pas où je voyais de la baston là-dedans, que
c'était tout sauf de la baston, qu'il y avait des
règles dans la baston, plutôt connues, et même
quand ils se fracassaient avec d'autres bandes,
même quand ça tournait au plus sauvage, ils
frappaient les mecs dans la gueule et pas par-
derrière. Là, rien n'avait été respecté. Et que ce
facho soit mon fils ne changeait rien à l'affaire.
Je n'avais pas répondu. Il n'y avait pas grand-
chose à répondre et je n'espérais rien de cette
première rencontre. J'étais retourné avec une
photo de Fus quand il était sorti de l'hôpital,
qu'on avait dû prendre pour l'assurance. On

voyait bien l'immense trou derrière l'oreille. « Voilà les gars, ça, c'est vous, que je leur avais dit. C'est le résultat de votre baston dans les règles. Un trou dans la tête, quatre jours de coma, des séquelles neurologiques. Je n'en veux à aucun d'entre vous, vous étiez pris dans la rage du moment. Je ne vous ai pas apporté des photos de la fille, mais j'imagine que ce n'est pas la peine, et que vous vous souvenez assez bien dans quel état vous l'avez laissée. » Ils me regardaient. Ils s'observaient entre eux, qui allait réagir. J'avais continué : « À ce moment-là, quand vous avez décidé de leur tomber dessus, cette fille et mon facho de fils avaient comme seule faute de distribuer des tracts de Le Pen. Je suis d'accord avec vous qu'il ne faut pas être très malin pour faire ça, qu'il faut être particulièrement con, et même passablement salaud de distribuer ces merdes, mais voilà, mis à part tout cela, ils ne vous avaient rien demandé. Ils ne vous avaient pas demandé de croiser leur vie ce jour-là, ils ne vous avaient pas demandé de les déglinguer comme vous l'avez fait.

Alors, que vous les ayez frappés par-devant, par-derrière, avec de simples poings améri-cains ou des tonfas, ils s'en foutaient un peu, le résultat était à peu près le même. – Qu'est-ce que tu veux qu'on te dise? m'avait demandé le plus vieux de la bande. – Tu n'as rien à me dire, que je lui avais répondu, je voudrais juste que tu expliques comment ça se passe, disons, si tu veux, comment ça devrait se passer, que tu dises au tribunal que là ça s'était particu-lièrement mal emmanché. Je voudrais que tu reconnaisses que mon fils pouvait avoir une ou deux raisons de venir se venger, que tu dises que peut-être il avait juste envie de foutre un bon coup sur la gueule de Julien, qu'il n'avait pas forcément envie que ça se termine comme ça… – Mais il n'en a pas foutu qu'un, des coups, ton fils, avait-il coupé. – T'embête pas avec ça, explique simplement comment vous vous tapez dessus, ça sera à son avocat de faire comprendre que parfois, une fois parti, une fois aveuglé par la rage et la peur, on ne peut plus s'arrêter à temps. » Les faire déposer n'avait pas été une mince affaire. Deux s'étaient dégonflés, on avait réussi à avoir un enregistrement assermenté du troisième, où il racontait la bagarre, masqué, voix transformée. Il y chargeait pas mal ses potes dont Julien.

Le procès d'appel avait été plus court, davantage en faveur de Fus. Les parents de Julien n'étaient venus qu'une journée, ils avaient déclaré ce qu'ils avaient déjà esquissé, qu'il ne leur semblait pas nécessaire de condamner Fus à une trop lourde peine, que ce garçon était déjà suffisamment puni. Ils avaient surtout expliqué que leur fils avait sa responsabilité dans l'affaire. Ça faisait écho au témoignage du pote de Julien et, pour la première fois, on sentait mieux pourquoi un beau matin Fus avait eu envie d'aller à la bagarre. Les autres, l'entraîneur de foot, le Jacky avaient été à leur rang. J'avais été aussi bien plus convaincant. J'avais raconté le zombie qu'avait été Fus au sortir de l'hôpital. Comment il avait fallu l'aider pour tout. Les premiers jours, il ne savait même plus manger proprement. Les premières nuits, il s'était pissé dessus. Voilà ce que j'avais dit, autant de choses que je n'avais pas voulu dire la première fois. L'avocat n'avait plus besoin de me torturer, tout venait naturellement : comment il avait fallu retourner aux urgences quand il s'était évanoui sur les chiottes, comment des jours durant il n'avait pas dit un traître mot. Combien il était resté atone, presque débile, quand son frère était rentré le samedi. J'avais enfin assumé mes erreurs, tout ce que m'avait fait dire l'avocat lors du premier procès. Je n'avais rien dit non plus pour la barre, la fameuse barre de fer, que Fus avait bien dû usiner pour qu'elle fasse encore plus mal. Je l'avais reconnue cette barre, une barre que j'avais rapportée de l'atelier, qui m'avait servi pour un treuil et qui était bien ronde à l'époque, pas acérée et crantée comme on la voyait alors dans son sachet plastique. J'avais fermé ma gueule lors du premier procès, je ne l'avais pas rouverte au second, le mal était fait. De toute façon, personne ne niait que Fus avait pris une arme, alors qu'elle soit ronde ou pointue, qu'est-ce que ça pouvait faire ?

L'avocat avait dit que la barre avait été prise au cas où, que Fus ne savait pas sur combien de personnes il allait tomber. Quand il avait quitté le domicile, la barre était là pour assurer sa défense, pas pour tuer. Pourquoi pas. Le doute. Installer du doute.

Tout cela mis bout à bout, ça faisait du douze ans. J'avais été pris de vertige en entendant la peine, profondément déçu qu'elle reste aussi sévère, comme si j'avais oublié que mon fils avait tué quelqu'un. Douze ans, ça restait immensément long. L'avocat, lui, était satisfait. On avait réduit la peine de moitié. Si Fus se tenait bien, il pourrait négocier une remise de peine. Au final, peut-être qu'il ne resterait enfermé que huit, neuf ans. Il avait déjà passé plus d'un an derrière les barreaux. Je l'avais laissé à ses calculs. Le Jacky m'avait soûlé ce soir-là. On s'était installés dans un bar de Nancy et on avait démarré directement au whisky. Au début, il en avait gardé un peu sous la pédale, histoire de nous ramener au patelin. Mais on avait finalement été obligés d'appeler sa femme, qu'elle vienne nous récupérer. On lui avait infligé une sortie de deux heures en pleine nuit, mais cela ne semblait pas si grave, elle avait eu l'air de comprendre et elle semblait presque rassurée que cela ne soit que ça. Dans la voiture, quand on avait repris un peu conscience, il m'avait avoué qu'il ne savait pas quoi en penser. Il venait de plus loin, il avait une meilleure conscience de ce qui s'était tramé, il avait vécu à fond les deux procès, et du coup peut-être qu'il savait mieux appréhender la clémence du jury? Ça ne l'avait pas empêché le lendemain et le surlendemain de pleurer dans mes bras. « Au moins, on s'est retrouvés », qu'il m'avait dit.

Les visites en prison me vrillaient toujours autant la tête. J'avais beau en faire, je n'arrivais pas à m'y habituer. J'en faisais des cauchemars plusieurs jours avant, mais bon, une fois dedans, ça allait à peu près, je n'avais plus comme les premières fois l'envie insensée de me sauver, à peine sur place. J'arrivais à regarder un peu mon Fus, voir s'il s'était rasé, s'il avait pris un peu soin de lui. Il portait les vêtements que je lui avais apportés les fois d'avant, je pense qu'il y faisait attention, je pense qu'il connaissait mon dégoût de tout ça, qu'il ne voulait pas en rajouter. Alors, quand je le voyais propre, ça allait à peu près. J'oubliais que c'était un prisonnier, j'arrivais à faire un peu abstraction du reste. J'aimais bien y aller avec le Jacky, car lui n'avait aucune appréhension, il s'installait là-dedans comme s'il était au bar, il était bien avec tout le monde, il n'avait pas une once de honte. Le Jacky, lui, préférait qu'on y aille chacun notre tour, « ça fait plus de visites pour le gamin ». Alors j'avais pris mon parti d'y aller seul. Les premiers mois avaient été pénibles, pour moi, pour Fus aussi. Je le sentais absent. Je ne savais pas si c'étaient les suites de sa maladie ou si on le shootait de médicaments. J'avais demandé à Gillou s'il ressentait la même chose, mais lui il n'y prêtait pas attention. Quand il y allait, il parlait, il faisait le show, il ne laissait pas Fus en placer une. Ce n'était pas inutile. Avec toutes les histoires, les résumés de séries, la logorrhée de sketches qu'il lui racontait, Fus en avait pour la semaine. « Mais quand tu lui racontes toutes tes conneries, ça le fait rire ? » que je lui avais demandé. Il m'avait dit, pas trop sûr : « Ouais, ouais. Ça va, t'inquiète. »

Puis, les choses avaient semblé s'arranger. Ils l'avaient changé de cellule. Fus s'était remis à parler. À demander des nouvelles. À m'en donner aussi. Sur ses journées. Sur ses soirées. La salle de muscu. La petite bibliothèque. « Je peux t'apporter des livres si tu veux. – Oui, si tu veux. » Voilà le genre de conversations. Ce n'était pas énorme, mais on revenait de loin. On tenait notre heure facilement. Bien sûr, il y avait de longs silences, mais ils étaient utiles, ce n'était pas du temps de parloir perdu. On en profitait pour se regarder un peu, se sourire de nouveau. S'apprivoiser. Le soir, une fois rentré, je me prenais à faire des calculs, je regardais sur internet, j'appelais le lendemain l'avocat. Combien de temps lui restait-il ? J'avais alors envie qu'il soit très gentil avec les gardiens, qu'il soit irréprochable, j'attendais des amnisties partielles, je lisais la surpopulation carcérale, je me disais que ça allait peut-être dans son sens, qu'on le ferait sortir lui, j'appelais le Jacky, je lui demandais ce qu'il en pensait, j'écrivais de nouveau à l'avocat. Je devenais fou. Je revivais l'agonie de la moman, les journées entières à attendre un tout petit mieux, les espoirs inconsidérés dans telle ou telle nouvelle, je revivais la peur et le dégoût de l'hôpital, l'immense lassitude des visites, ici, tout, cent, mille fois amplifié. C'était donc un soulagement, une consolation de voir que Fus parlait à nouveau, qu'il s'intéressait un peu au monde. On n'abordait pas tout directement. Il avait assez payé pour les affrontements. Alors on commentait davantage, on restait prudents dans ce qu'on disait. On se rendait mieux compte, tous les deux mal assis sur nos tabourets, du poids et de la violence des opinions. On s'échangeait des articles. Je lui découpais ceux sur le foot, les nouvelles du FC Metz, les articles du *Répu* réservés aux abonnés. Je lui découpais aussi tout ce qui touchait au devenir de la région. Ça lui faisait plaisir quand je lui annonçais qu'une petite usine allait se monter, ça n'arrivait pas si souvent. Lui suivait en détail les études et le devenir de Gillou et de Jérémy, c'est lui qui

m'expliquait les subtilités, toutes les possibi-
lités qui s'offraient à eux. Cette petite routine
me permettait de dompter l'affaire, et peut-être
que dans cinq ans j'y arriverais.

Au fond de moi, je savais qu'on était
condamnés à cet entre-deux tant qu'on n'aurait
pas reparlé, au moins une fois, de ce qui
s'était passé. J'avais envie de savoir s'il avait
des remords, si ça l'empêchait comme moi de
dormir. Mais il n'en parlait jamais. Au contraire,
j'avais l'impression qu'il vivait ça mécani-
quement, dans un incroyable détachement. Il
me parlait de ce qu'avaient fait ses codétenus
sans effroi, cliniquement. Comme si c'était un
simple jeu de gains et de débours. Comme si les
peines qu'ils purgeaient suffisaient amplement
à rembourser leurs dettes. Et pour cela, il n'était
pas différent des autres.

Krystyna n'était pas revenue le voir après
le procès. J'avais eu une longue discussion
avec elle. Je ne la sentais pas amoureuse de
mon fils – et elle me l'avait plus ou moins
confirmé – et je ne comprenais donc pas pour

quelle raison elle se forçait à garder le contact. On aurait dit une chère sœur qui s'obligeait à je ne sais quel serment. Je voulais à tout prix éviter qu'elle ne s'enferre là-dedans, qu'elle ne s'en crée une sale habitude. Je lui avais expliqué qu'elle ne tiendrait pas la durée, je lui avais fait toucher ce que c'était, douze ans de réclusion, combien de visites cela signifiait. Elle avait compris. Elle avait surtout compris qu'elle lui ferait beaucoup plus de mal si elle le lâchait dans un an ou deux que maintenant. Je l'avais remerciée pour ce qu'elle avait dit lors du procès, elle en avait déjà fait bien assez. Alors, elle m'avait avoué qu'elle avait avorté une semaine après que Fus eut tué Julien. Que ce n'était rien, que Fus n'avait jamais su qu'il était père. Le jour où elle était venue chez nous, le jour où elle était venue le chauffer avec ses histoires de vengeance, elle aurait pu lui annoncer cela, ce petit rien. Ce petit rien du tout. Déjà parti aujourd'hui.

Cher Pa,

Quand tu liras ces mots, je serai déjà en voyage. Vous avez tous besoin de repos, il est inutile que vous vous épuisiez ainsi à ces inutiles trajets. Il est grand temps que je vous libère. Gillou va bientôt être papa – c'est un petit garçon, j'espère que je ne te l'apprends pas ! – et sa femme n'aime pas trop le savoir ici. Je peux la comprendre. Il a mieux à faire de son temps. Toi aussi, avec ce petit, tu auras vite mieux à faire. Apprends-lui à faire du vélo, vas-y doucement au début, pas la peine de lui faire dévaler la pente du calvaire comme tu l'avais fait pour Gillou et moi. Prends ton temps avec lui, emmène-le au stade, emmène-le au cimetière si tu veux. Les petits aiment jouer entre les tombes. Bien sûr, il n'y a plus que trois ans à attendre, trois ans ce n'est rien au vu de tout ce que j'ai déjà patienté, mais ce sont sûrement vos trois plus belles années. Je n'ai pas envie de les entamer. Hier j'ai appris qu'ils comptaient bientôt me transférer, une fois encore ! Le chemin n'en aurait été que plus long pour vous, je ne me voyais pas vous infliger ça, alors j'ai décidé de me sauver. Cette distance nous fera du bien. Jusqu'à Krystyna qui m'avait oublié et qui se met à me réécrire ! Remercie Jérémy et le Jacky pour tout ce qu'ils ont fait pour moi, je n'ai pas le courage ni le temps de leur écrire, mais je pense fort à eux. Dis au revoir à la moman pour moi. Embrasse longtemps mon frère. Je ne regrette rien de ma vie, en tout cas pas celle que nous avons vécue ensemble. Je pense que ça a été une belle vie. Les autres diront une vie de merde, une vie de drame et de douleur, moi je dis, une belle vie.

Je t'embrasse fort,

Fus.

ILS ONT COLLABORÉ À CE LIVRE :

PIERRE FOURNIAUD
DIRECTION ÉDITORIALE ET COORDINATION

ÉDITH NOUBLANCHE
RELECTURE ET ÉDITION

HERVÉ DELOUCHE
CORRECTION

BRUNO RINGEVAL
COMPOSITION

DONATA JANSONAITE J
IMPRESSION

MARIE-ANNE LACOMA
SUIVI COMMERCIAL ET PROMOTIONNEL

AGENCE TRAMES
RELATION PRESSE ET CESSIONS DE DROITS

LES ÉQUIPES DU CDE ET DE LA SODIS
DIFFUSION ET DISTRIBUTION

LES LIBRAIRES
COMMERCIALISATION ET PROMOTION

DÉPÔT LÉGAL : AOÛT 2020
IMPRIMÉ EN UE